LES BONNES COMBINAISONS ALIMENTAIRES

Ce livre appartient à

_____

Ce livre a déjà été publié en 1998 sous le titre:
Les bonnes combinaisons alimentaires

De la même auteure chez le même éditeur:
220 recettes selon les bonnes combinaisons alimentaires, © Édimag, 1999
Vitamines et minéraux, © Édimag, 2001
Des recettes selon les bonnes combinaisons alimentaires, © Édimag, 2005
Votre santé dans votre assiette, © Édimag, 2006

EDIMAG
PRÈS DU PUBLIC

C.P. 325, Succursale Rosemont
Montréal (Québec), Canada H1X 3B8
Téléphone: (514) 522-2244

Courrier électronique: info@edimag.com
INTERNET: www.edimag.com

Couverture: Projet Bleu

Dépôt légal: premier trimestre 2007
Bibliothèque et Archives nationales du Québec
Bibliothèque nationale du Canada

© 2007, Édimag inc.
Tous droits réservés pour tous pays
ISBN : 978-2-89542-216-7

Édimag inc. est membre de l'Association nationale des éditeurs de livres.

Québec ::   **Canada**

L'éditeur bénéficie du soutien de la Société de développement des entreprises culturelles du Québec pour son programme d'édition.

Nous reconnaissons l'aide financière du gouvernement du Canada par l'entremise du Programme d'aide au développement de l'Industrie de l'édition (PADIÉ) pour nos activités d'édition.

NE JETEZ JAMAIS UN LIVRE
La vie d'un livre commence à partir du moment où un arbre prend racine. Si vous ne désirez plus conserver ce livre, donnez-le. Il pourra ainsi prendre racine chez un autre lecteur.

Lucile Martin-Bordeleau

LES BONNES COMBINAISONS ALIMENTAIRES

EDIMAG
PRÈS DU PUBLIC

AVERTISSEMENT

Toutes les informations contenues dans ce livre ont été vérifiées avec le plus grand soin. L'éditeur ne peut être tenu responsable pour d'éventuels inconvénients liés à l'utilisation des recettes et des conseils contenus dans ce livre. Consultez votre médecin en priorité.

DISTRIBUTEURS EXCLUSIFS

POUR LE CANADA ET LES ÉTATS-UNIS
LES MESSAGERIES ADP
2315, rue de la Province
Longueuil (Québec)
CANADA   J4G 1G4
Téléphone: (450) 640-1234   Télécopieur: (450) 674-6237

POUR LA SUISSE
TRANSAT DIFFUSION
Case postale 3625
1 211 Genève 3   SUISSE
Téléphone: 41.22.342.77.40 - Télécopieur: 41.22.343.46.46
Courriel: transat@transatdiffusion.ch

POUR LA FRANCE ET LA BELGIQUE
DISTRIBUTION DU NOUVEAU MONDE (DNM)
30, rue Gay-Lussac
75005 Paris   FRANCE
Téléphone: (1) 43 54 49 02 - Télécopieur: (1) 43 54 39 15
Courriel: dnm@librairieduquebec.fr

Dédicace

Je dédie ce livre à celles et à ceux qui veulent maigrir en beauté et en santé, sans être condamnés à recommencer éternellement avec ces affreuses diètes (méthode yo-yo) qui ont pour effet de nous faire engraisser deux fois plus dès que l'on se remet à manger normalement.

Manger à sa faim et maigrir en santé sont deux choses compatibles; cependant, il faut savoir manger. Pour ce faire, je vous propose la théorie des «**bonnes combinaisons alimentaires**» qui a fait et qui fait encore ses preuves. C'est une méthode très facile d'application.

Ajoutez à cela quelques exercices physiques. Ainsi vous aurez ou atteindrez le poids désiré dans un corps en santé et en pleine forme.

Que la vie est belle quand on peut faire ou accomplir tout ce que l'on veut ou presque. Se lever le matin sans cette horrible migraine; vaquer à ses occupations sans avoir à porter 25 livres et plus en trop. Sortir de table sans sentir cette lourdeur qui nous porte à somnoler et qui nous paralyse pendant quelques heures. Depuis que j'ai adopté cette manière de manger, je n'ai plus cette sensation de sommeil qui m'envahissait, surtout après les repas du midi et du soir.

Que c'est merveilleux de pouvoir profiter à 100% de son temps et non plus seulement à 50% et même parfois moins.

Chapitre 1

Chers amies et amis, bonjour!

Ayant lu, une fois de plus, dans un journal local, un article sur l'obésité qui, semble-t-il est le problème numéro 1 de l'heure, j'ai donc décidé, aujourd'hui, de venir vous aider (si vous le voulez bien) par mes connaissances, à solutionner ou à améliorer grandement cet état de chose.

On dit qu'au Québec, au Canada et aux États-Unis, bientôt 50% de la population sera obèse, si ce n'est pas déjà fait et dépassé. Donc 50% de la population est malade ou en voie de le devenir. L'obèse est un malade qui s'ignore parce qu'il ne ressent pas de souffrances ni de douleurs comme l'arthritique, le rhumatisant, le migraineux, etc.

Qu'est-ce donc que l'obésité? L'obésité est un excès d'embonpoint par une surcharge graisseuse du tissu sous-cutané du péritoine (membrane séreuse qui tapisse la cavité de l'abdomen et des organes qui y sont contenus). Du moment que tu fais plus de 10% de ton poids santé, tu es obèse.

Les maladies liées à l'obésité sont : l'hypertension, l'hypercholestérolémie, les troubles digestifs, le diabète, les maladies cardio-vasculaires, les troubles rénaux, certains cancers, la constipation, etc., auxquels s'ajoutent généralement des répercussions psychologiques, sociales et économiques difficiles à vivre.

Quelles sont les causes de l'obésité? Certains médecins disent que ce serait dû à un dérèglement hormonal. D'autres, que c'est la faute des gènes. D'autres encore disent que nous avons, tout simplement, des dispositions génétiques à l'embonpoint ou à la maigreur. D'autres finalement disent que les hormones ne sont pas plus responsables de l'obésité que les gènes. Donc il faut chercher ailleurs la cause de l'obésité.

Pourquoi sommes-nous obèses? D'après moi, c'est assez simple : on mange trop, on mange mal et on ne bouge pas assez. Si je mange deux ou trois fois plus que je dépense d'énergie nerveuse, je serai probablement obèse car mon corps ne peut jamais éliminer tous ces déchets. Je lui donne un travail surhumain. Je le surcharge, ce qui fait qu'il ne peut rejeter ses propres déchets dits endo-gènes, c'est-à-dire les milliards de cellules qui meurent chaque jour. Donc, les déchets n'étant pas éliminés, je prends du poids et je ressens des malaises pas très inté-ressants.

On va me dire qu'il y a des personnes qui mangent comme des ogres et qui n'engraissent jamais. C'est vrai mais, peut-être font-elles beaucoup d'exercices physi-ques et ont-elles une meilleure élimination. «Tant va la santé, tant va l'élimination», Marcel Chaput, *L'école de la santé*. À défaut de souffrir d'obésité, elles sont peut-être aux prises avec de l'arthrite, du rhumatisme, des mi-graines, des flatulences, du psoriasis, etc., car on ne peut mal manger très longtemps sans avoir des conséquences néfastes.

Depuis presque trente ans que je suis dans le domaine de la santé : magasin d'aliments naturels, études de trophologie, de naturopathie, conférences, consultations, maison de jeûne, auteure, je puis vous assurer, compte tenu des nombreux témoignages et faits vécus et vus qu'il n'y a pas cinquante-six manières d'être en santé physique et mentale. Il faut retenir deux choses: l'alimentation saine, selon les **bonnes combinaisons alimentaires,** et l'exercice physique. À cela s'ajoutent le soleil, l'air, l'eau. En effet, et je me répète: si je mange mal et beaucoup trop et si je suis inactif, j'ai de grosses chances de devenir obèse.

Les pertes quotidiennes de matière et d'énergie, évaluées en calories, s'élèvent à environ 2300 à 2400 calories chez l'être humain adulte soumis à une activité physique modérée. De 1600 à 1700 calories par jour vont à l'entretien de la vie elle-même et 750 calories par jour pour un travail modéré (*L'homme dans son milieu*). Donc, si je bouffe 4000 calories et n'en dépense que 2400, j'aurai un surplus de 1600 calories que je stockerai tous les jours et calculez le résultat au bout d'une semaine, d'un mois, d'un an! Voici ce que dit le Dr Stephen T. Chang dans son livre *Comment effacer votre ventre* à propos de l'embonpoint: «Quand une personne devient obèse, son organisme tout entier en porte le poids. Cela ne veut pas dire qu'il est mal de faire de l'embonpoint, mais simplement que c'est dangereux pour la santé. Chaque fois que vous prenez deux centimètres de tour de taille, l'organisme doit élaborer environ six kilomètres de vaisseaux sanguins pour alimenter ce tissu supplémentaire. Le sang, qui devrait normalement être dirigé vers la tête et le cerveau, demeure dans la cavité abdominale pour assister les organes digestifs dans leurs tâches accrues. Ces tissus adipeux excédentaires forcent le cœur à dépenser davantage d'énergie. Suite à ces efforts excessifs, le cœur s'affaiblit progressivement et menace de plus en plus de flancher. En quantité excessive, les graisses et les lipides (lesquels, avec les glucides et les protéines, constituent les molécules structurales de base des cellules) obstruent la circulation dans les artères et les veines. Cette obstruction du système sanguin contribue directement à l'hypertension. Un poids excessif entraîne une fatigue tant mentale que physique. De plus, le déplacement du centre de gravité vers l'avant du corps exerce une pression sur la colonne vertébrale, causant souvent des douleurs dans le bas du dos. L'embonpoint n'a donc pas grand-chose de positif. Mais les méthodes conventionnelles d'amaigrissement sont souvent, non seulement difficiles à suivre, mais aussi fort coûteuses!»

La méthode que je vous propose est toute simple et n'implique aucun déboursé si ce n'est l'achat du présent livre. Et vous économiserez même, car en mangeant des aliments complets et en les mangeant de la bonne manière, vous mangerez moins. Qui dit mieux?

Il faut absolument changer sa manière de vivre : éliminer le *junk food*, les hot-dog, les hamburgers, les viandes grasses, les sucres, les boissons gazeuses (il y a huit cuillérées à thé de sucre dans une canette de 10 onces), les fromages trop gras. Pour compenser, il faut manger beaucoup de fruits et de légumes frais et crus. On dit que l'on devrait manger environ, par repas, 75 à 80% de fruits ou de légumes et de 20 à 25% d'amidon et de protéines.

La croyance populaire qui dit que l'on doit manger de la viande pour satisfaire nos besoins protéiques est fausse. Si l'on mange des aliments de sources végétales variées et non raffinés, il est impossible de manquer de protéines.

Exemple: dans le riz, il y en a 8%, dans la pomme de terre, 11%, dans les haricots secs, 28%, dans les fèves vertes, 14,5%, etc. Selon le Dr Christian Tal Schaller, président et fondateur des Éditions Soleil : «Il est presque impossible de rencontrer des cas de déficience en protéines, dans notre société occidentale.»

La période de notre vie où nous avons le plus besoin de protéines est l'enfance, lorsque nous sommes en croissance. L'aliment idéal, pour un bébé est le lait de sa mère. Dans le lait maternel, 5% des calories sont fournies par les protéines. Les protéines en excès ne sont pas emmagasinées par le corps; leur élimination donne un surcroît de travail au foie et aux reins et les épuise. Pour éliminer les protéines en excès, les reins doivent utiliser de grandes quantités de calcium, ce qui entraîne des pertes de calcium osseux (causant l'ostéoporose) et de fortes concentrations urinaires de calcium, d'où la formation de calculs rénaux. Ce sont surtout les protéines d'origine animale qui créent ces problèmes. Donc les diètes aux protéines (pour perdre du poids) sont néfastes. On peut maigrir mais on se crée d'autres problèmes.

La répétition des diètes fatigue l'organisme. Il devient tellement épuisé par tous ces régimes qu'il réagit exactement à l'opposé des résultats attendus. En effet, notre organisme compte des cellules «Alpha» et «Bêta». Les unes font entrer le gras et les autres le font sortir. Nos milliards de cellules en viennent à se défendre parce qu'elles ne savent plus quand elles seront nourries adéquatement. Ainsi, au lieu de laisser sortir les gras, elles les gardent et elles gonflent. Résultat: une augmentation de poids et le découragement. Il n'existe pas de pilule ni de régime miracle pour maigrir. La technique des «**bonnes combinaisons alimentaires**» n'est pas une diète: **c'est la science ou la connaissance de la compatibilité des aliments entre eux afin de profiter pleinement de la nourriture ingérée.** C'est donc savoir quoi manger avec quoi pour éviter les maux de tête, les migraines, les gaz, les ballonnements, les maux d'estomac, l'obésité, les indigestions, la maigreur excessive, la constipation, etc. Le sang, au lieu de charrier de mauvais nutriments dus à la fermentation et à la putréfaction des aliments dans l'estomac et les intestins, charriera de bons nutriments qui permettront de jouir d'une meilleure santé.

Ce livre ne se veut pas parfait. Il est plutôt une vulgarisation des facteurs naturels de santé, cependant, quiconque l'adoptera en retirera d'énormes profits. Non seulement les obèses mais aussi le commun des mortels. Sur ce, bonne perte de poids, bonne santé, soyez persévérants, les résultats seront fantastiques. Si pour une raison ou une autre vous avez triché, reprenez-vous le lendemain, «20 fois sur le métier remettez votre ouvrage. Polissez-le et repolissez-le sans cesse!» (Boileau) Ne vous découragez pas. Le Christ a chuté trois fois et s'est relevé chaque fois.

Maintenant passons au tableau des six catégories d'aliments. Lisez-le attentivement. Alors, quand je dirai qu'une protéine ne se mange pas avec un farineux ou amidon, vous saurez de quoi il s'agit.

Tableau des six catégories d'aliments

1- Hydrates de carbone ou glucides

- Sucres et sirops

Fruits et légumes, miel, sucre brut, sucre blanc, cassonade, sucre de fruit, sucre de canne, sirop de maïs, sirop d'érable, etc.

- Farineux ou amidon

Toutes les céréales, c'est-à-dire les farines et leurs dérivés: farine de blé, de soya, de seigle, d'orge, de sarrasin, d'avoine, farine blanche, millet, semoule, pain, nouilles, pâtes alimentaires, biscuits, gâteaux, céréales servies au petit-déjeuner, riz, bulghur, pommes de terre et légumineuses

Les légumineuses

Pois secs, pois chiches, lentilles, gourganes, haricots jaunes, fèves de toutes sortes: blanches, Lima, rognons rouges, mung, etc. (À l'exception de la fève de soya qui entre dans la catégorie des protéines.)

Les petits farineux

Carottes, arachides, panais, navets, betteraves, maïs, citrouilles.

2-Protéines ou protides	Viandes, œufs, fromages, poissons, noix, fèves de soya, luzerne, tofu, olives noires, graines de tournesol, de sésame, de citrouille, de lin,	champignons, etc. Les protéines complètes se retrouvent dans la viande, les œufs, le poisson, la luzerne, la fève de soya et le lait humain.
3- Lipides ou corps gras	Les graisses, le beurre, le suif, les huiles, la crème et les margarines, etc.	
4- Vitamines	Les fruits, les légumes, les graines et leurs dérivés, le foie de poisson, le foie animal, le lait, le beurre, le jaune d'œuf, etc.	
5- Minéraux et oligoéléments	Les minéraux se retrouvent sensiblement dans les mêmes aliments que les vitamines. Les oligoéléments sont des minéraux en infime quantité comme le zinc, le cobalt, l'iode, etc.	
6- Eau	La meilleure eau que l'on puisse boire est celle qui provient des fruits et des légumes qui contiennent toutes les vitamines et tous les minéraux naturels. Viennent ensuite,	en ordre de qualité: l'eau distillée (par un procédé osmotique), l'eau de source, l'eau de puits et finalement les eaux de surface traitées.

Chapitre 2

LES SIX CATÉGORIES D'ALIMENTS

Ce n'est qu'après avoir appris à vivre selon les lois de la
physiologie et de la biologie que nous pourrons
transformer en chant de bonheur, les
gémissements de douleur et
de désespoir qui montent
aujourd'hui de la terre.
Herbert M. Shelton

Dans cette partie, j'explique ce que sont l'alimentation naturelle, le fonctionnement du système digestif et les combinaisons alimentaires. Nous allons ensemble démystifier le mode de vie des naturistes et cesser de penser que ce sont des hurluberlus ou des gens qui vivent comme des sœurs cloîtrées; en d'autres termes, des gens qui se privent beaucoup et qui ne mangent pratiquement rien de potable, rien de flatteur pour le palais. Dans les suggestions de menus et les recettes, vous pourrez juger par vous-même et découvrir les bienfaits d'une saine et douce alimentation, ainsi que la joie de vivre en santé.

Sans autre préambule, la définition de l'alimentation naturelle est l'art et la science de s'alimenter sainement afin de prévenir la maladie, de conserver sa santé et de la recouvrer si on l'a perdue. S'alimenter sainement signifie assurer quotidiennement à son organisme tous les éléments nutritifs essentiels à son bon fonctionnement. S'alimenter sainement veut aussi dire ne manger que des aliments bons pour la santé, des aliments ayant subi le moins de transformations possible, des aliments moins chimifiés, des aliments moins carencés et, autant que possible, des aliments de provenance organique.

Par provenance organique, je veux dire des aliments tels que des fruits et des légumes provenant de sol enrichi par le compost, de l'humus ou autres engrais naturels; des viandes provenant d'animaux qui n'ont pas été vaccinés ni engraissés aux hormones. Par exemple, les poulets nourris aux grains, les œufs de poules nourries biologiquement (c'est-à-dire celles qui picorent et vivent à l'air libre plutôt que d'être forcées à pondre jour et nuit dans des cages), des poissons provenant de lacs ou de cours d'eau non pollués, etc. Mais, me direz-vous, il est tout à fait impossible de vivre sainement de nos jours. C'est un peu vrai mais nous allons apprendre ensemble à vivre le mieux possible avec ce que nous avons. Nous devons apprendre à faire des choix.

Parlons maintenant des aliments nutritifs essentiels au bon fonctionnement de l'organisme. Toute alimentation équilibrée doit inclure les six catégories d'aliments que voici : les glucides ou hydrates de carbone, les protides ou protéines, les lipides ou corps gras, les vitamines, les minéraux et oligo-éléments et enfin l'eau. À noter qu'il ne faut pas manger toutes les catégories d'aliments dans un même repas. Reprenons chaque catégorie séparément.

Les glucides ou hydrates de carbone sont des corps composés de trois éléments : le carbone, l'hydrogène et l'oxygène. Les glucides ou hydrates de carbone, pour être absorbés, doivent être hydrolysés par la digestion en sucres simples, s'ils ne le sont pas déjà. Je vous expliquerai ce phénomène un peu plus loin. Retenez simplement que le terme hydrolysé signifie «décomposé par l'eau».

Les protides ou protéines sont des corps quaternaires, c'est-à-dire composés de quatre éléments : le carbone, l'hydrogène, l'oxygène et l'azote. Ces quatre éléments sont associés de façon définie pour constituer des substances organiques simples : les acides aminés. Il existe vingt-trois types d'acides aminés différents servant à fabriquer un nombre incalculable de protéines rencontrées chez les êtres vivants. Parmi ces vingt-trois types, on en trouve entre huit et dix que l'on qualifie d'essentiels et qu'on appelle protéines complètes.

Les lipides ou corps gras sont des corps ternaires composés de carbone, d'hydrogène et d'oxygène.

Les vitamines sont des substances organiques indispensables que l'organisme ne peut synthétiser. Elles sont nécessaires afin de permettre une bonne utilisation des autres aliments.

Les minéraux et oligoéléments sont des éléments indispensables au bon fonctionnement de l'organisme qui ne peut les synthétiser. Les oligoéléments sont des minéraux que l'on retrouve en infimes quantités dans le corps humain comme le zinc, le cobalt, l'iode, etc.

Peut-être vous êtes-vous déjà demandé comment se classifient les aliments? De prime abord, il faut retenir qu'il n'existe aucun aliment pur, c'est-à-dire qui ne soit composé que d'un seul élément. Il y a toujours un mélange de protéines, de lipides, d'hydrates de carbone, etc. Le principal composant de la denrée désigne sa classification. Par exemple, on classe la fève de soya parmi les aliments protéinés car son apport en protéines est plus important que celui de n'importe quel autre élément. En effet, la fève de soya contient environ 37% de protéines et 24% d'hydrates de carbone.

D'autre part, le pain entre dans la catégorie des hydrates de carbone car sa teneur en amidon est plus élevée que celles de ses autres constituants. La pomme de terre, bien qu'étant un légume, compte parmi les féculents.

Anatomie
de l'appareil digestif

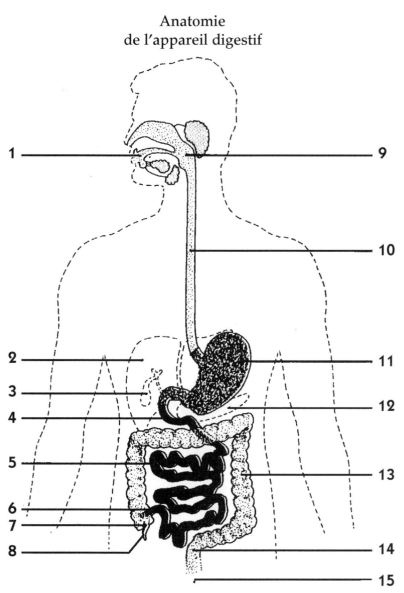

1. Bouche
2. Foie
3. Vésicule biliaire
4. Duodénum
5. Jejunum
6. Iléon (4, 5 et 6 formant l'intestin grêle)
7. Caecum
8. Appendice
9. Pharynx
10. Œsophage
11. Estomac
12. Pancréas
13. Côlon ou gros intestin
14. Rectum
15. Anus

Chapitre 3

LE FONCTIONNEMENT DU SYSTÈME DIGESTIF

Le chirurgien coupe le résultat d'une vie déréglée.
H.M. Shelton

*Réfléchir la lumière
est quelque chose de plus beau
que de la recevoir.*
Anonyme

Vivre ce n'est pas être vivant, c'est bien se porter.
Martial

Le soleil est plus longtemps vrai que les nuages.
Françoise Gaudet Smet

À présent que vous connaissez les six catégories d'aliments que doit inclure une alimentation équilibrée, il vous faut connaître le fonctionnement du système digestif pour ensuite être en mesure de comprendre le bien-fondé des combinaisons alimentaires. En premier lieu, il faut savoir que l'appareil digestif comprend :

1- Un tube digestif qui canalise les aliments de la bouche à l'anus;
2- Des glandes digestives qui sécrètent les sucs digestifs destinés à la transformation chimique des aliments.

Ces sucs digestifs sont: la salive, le suc gastrique, le suc pancréatique et le suc intestinal. La bile n'est pas un suc gastrique parce qu'elle ne contient pas d'enzymes bien qu'elle joue quand même un rôle dans la digestion.

Le tube digestif est constitué de la bouche, du pharynx, de l'œsophage, de l'estomac, de l'intestin grêle et du gros intestin ou côlon. L'anus est l'ouverture terminale. Le tube digestif est aussi tapissé d'une membrane humide appelée muqueuse. Le tube digestif de l'être humain n'est pas un appareil tubulaire dans lequel la nourriture «entre par un bout et sort par l'autre». Son fonctionnement est plus complexe que cela (voir illustration en page 19).

À l'intérieur du tube digestif, la fragmentation des aliments est produite par deux sortes d'actions: la première est mécanique (broyage et barattage) et exercée par les dents et les contractions musculaires le long du tube digestif. La seconde est chimique et on la doit à l'effet des enzymes contenues dans les sucs digestifs. Un suc digestif est un liquide sécrété par des glandes digestives et qui contient des enzymes. Afin de digérer, l'organisme produit des enzymes adaptées à la nourriture ingérée. Les enzymes sont des catalyseurs ou agents de transformation. La salive contient une enzyme digestive appelée ptyaline. L'estomac contient d'une part des sucs gastriques acides très doux et, d'autre part, des sucs gastriques très forts, l'acide chlorhydrique, par exemple. Ces acides permettent la digestion, soit des hydrates de carbone soit des protéines. L'estomac contient deux enzymes principales: la présure et la pepsine. La présure est essentielle à la digestion du lait alors que la pepsine sert à la digestion des protéines. La lipase, quant à elle, facilite la digestion des corps gras.

La digestion de certains aliments, tels que les féculents, commence dans la bouche, d'où l'importance d'une bonne mastication et d'une bonne insalivation. Leur digestion se poursuit dans l'estomac. La mastication permet de déchirer, broyer, malaxer les aliments afin de les préparer à l'action des sucs digestifs. L'insalivation réduit les aliments en bouillie et permet leur acheminement vers l'estomac en passant par le pharynx et l'œsophage. Les ennuis débutent au moment où les aliments passent dans l'estomac, si on ne s'alimente pas correctement. Je m'explique: nous avons vu que la digestion des hydrates de carbone, c'est-à-dire les farineux, requiert des sucs gastriques très doux, alors que celle des protéines requiert des sucs gastriques très acides. Donc on fait face à une réaction chimique lorsqu'on consomme ces deux types d'aliments au même repas. Voici ce qui se produit alors: pendant les deux premières heures de la digestion, l'estomac, plutôt que de sécréter un suc gastrique presque neutre, sécrète un suc fortement acide. Du coup, la digestion des amidons s'arrête presque instantanément. Avec pour résultat la fermentation des hydrates de carbone et la putréfaction des protéines. D'où les malaises que nous connaissons.

Nous venons de voir que certains aliments, tels que les féculents ou farineux et les protéines, sont digérés dans l'estomac. Par contre, les sucres et les fruits sont digérés dans l'intestin. Consommés seuls, il séjournent peu de temps dans l'estomac. Ils s'acheminent ensuite très rapidement dans l'intestin lorsque rien n'entrave leur sortie de l'estomac. Voilà pourquoi on doit les consommer seuls, c'est-à-dire à des repas séparés sans quoi nous aurons des ennuis. En effet, les fruits et les sucres sont digérés dans l'intestin après un court séjour stomacal. Si on mange au même repas du pain, des pommes de terre et de la viande, qui demandent entre trois et six heures de digestion (selon la quantité ingérée) et que l'on termine ce même repas par du sucre ou des fruits, ces derniers séjourneront trop longtemps dans l'estomac et ils fermenteront. Il leur faudra attendre que la digestion des autres aliments soit terminée avant de passer dans l'intestin. Résultat: gaz, ballonnements, maux d'estomac, constipation, maux de tête, migraines, etc.

Autre chose à savoir et à retenir: la ptyaline, qui est l'enzyme digestive contenue dans la salive et qui amorce la digestion des féculents ou des farineux cuits, (je précise cuits) n'agit qu'en milieu alcalin. La ptyaline n'est pas assez forte pour digérer de gros amidons crus comme la pomme de terre, la farine d'avoine, etc. Par exemple, si on commence son repas par un verre de jus d'orange et que l'on mange tout de suite après des farineux (du pain, des céréales, etc.), la digestion se fera difficilement ou pas du tout car le jus d'orange aura acidifié la salive et l'enzyme digestive ne se produira pas. Elle ne favorisera pas la digestion des amidons, c'est-à-dire le pain et autres aliments du même genre. Voilà pourquoi il faut boire le jus de fruits au moins une demi-heure avant les féculents ou les protéines car cela prend environ une demi-heure pour que la salive redevienne alcaline.

Lorsque la nourriture est mangée comme il se doit et que tout est bien combiné, les aliments passent de l'estomac à l'intestin grêle sans encombrement ou sans problème. Le suc intestinal sécrété par les innombrables glandes intestinales contenues dans la parois s'ajoute au suc pancréatique et à la bile pour achever la transformation chimique de la digestion. La bile, substance alcaline, joue un rôle important dans la digestion et l'absorption des graisses. Elle émulsionne celles-ci, c'est-à-dire qu'elle les fragmente en fines gouttelettes et facilite ainsi l'action des lipases. Elle neutralise l'acidité du chyme à sa sortie de l'estomac, ce qui rend possible l'action des enzymes pancréatiques et intestinales. Précisons que le chyme est la nourriture réduite en bouillie.

En termes plus simples, la bile sert à neutraliser le bol alimentaire ou le chyme acide lors de sa sortie de l'estomac. Lorsque la vésicule biliaire est enlevée, la digestion devient plus difficile ou plus lente, car la bile contenue dans la vésicule est plus concentrée que celle qui sort directement du foie. Par conséquent, la première est plus efficace pour neutraliser le bol alimentaire. Voilà pourquoi il faut bien s'alimenter afin de ne pas devoir subir une telle ablation.

«Les échanges se font au niveau de l'intestin grêle; le sang et la lymphe viennent chercher les nutriments nécessaires au maintien de la vie, par conséquent à celui de la santé. Les matières non digérées passent dans le gros intestin ou côlon. En cours de route, ces résidus alimentaires sont déshydratés dans le gros intestin qui a la propriété d'absorber l'eau. Le contenu du gros intestin ne sera pas digéré. Les substances organiques qui s'y trouvent ne seront pas absorbées. Au cours de leur acheminement dans le côlon, ces matières seront plutôt décomposées par une flore intestinale bactérienne très abondante qui vit en symbiose dans le tube digestif. Cette décomposition des substances organiques par des bactéries se nomme putréfaction. Ces bactéries, tout en se nourrissant de matières organiques, synthétisent certaines substances (par exemple les vitamines) utiles à l'intestin. Les résidus du côlon, inutiles à l'organisme, forment les excréments (ou matières fécales) et sont éliminés par le relâchement du sphincter anal: principe appelé défécation. Voilà résumé le principe de la digestion.» *L'homme dans son milieu.*

Avant de clore ce chapitre, j'aimerais vous reparler de la mastication des aliments.

Afin de manger moins et d'être bien nourri, il faut manger lentement, bien insaliver et bien mastiquer les aliments, c'est-à-dire les réduire en menus morceaux, ce qui permettra aux enzymes de bien jouer leur rôle.

À défaut d'une mastication adéquate, une bonne partie des aliments sera absorbée, mais non assimilée. Ainsi, le corps exigera deux fois plus de nourriture et les aliments digérés, mais non assimilés, iront épaissir les dépôts adipeux déjà accumulés par des années ou des mois d'alimentation fautive. Je vous le répète, mastiquez plusieurs fois les aliments avant de les avaler.

Tableau des combinaisons alimentaires

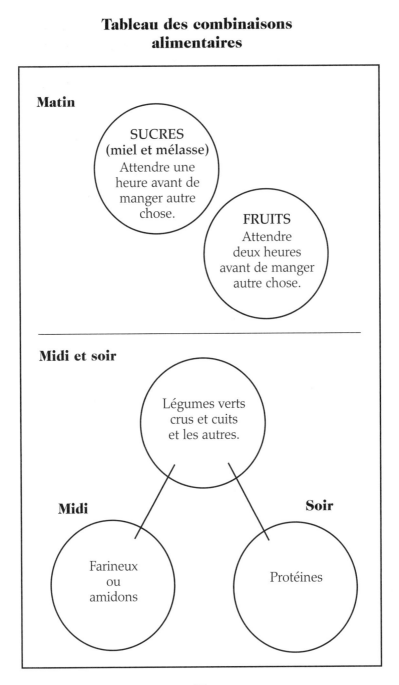

Matin

SUCRES
(miel et mélasse)
Attendre une heure avant de manger autre chose.

FRUITS
Attendre deux heures avant de manger autre chose.

Midi et soir

Légumes verts crus et cuits et les autres.

Midi

Farineux ou amidons

Soir

Protéines

Chapitre 4

LES COMBINAISONS ALIMENTAIRES

> Nous sommes ce que nous mangeons.
> Ce qui veut dire, par voie de conséquence,
> que l'alimentation est la plus grande force
> de santé et de guérison qui soit.
> *(L'École de la santé)*
> **Marcel Chaput**

À présent expliquons le tableau précédent. Nous avons vu que les sucres sont digérés au niveau de l'intestin. De ce fait, ils doivent être mangés seuls lorsque l'estomac est vide afin de prévenir les fermentations stomacales. Il faut donc attendre une heure avant de consommer autre chose. Les fruits sont eux aussi digérés dans l'intestin; on doit également les manger seuls et à jeun sauf quelques exceptions (voir page suivante). Cette fois, il faut cependant patienter deux heures avant de manger autre chose. Manger des fruits en même temps qu'un autre aliment, tel que du pain, des crêpes, de la viande, cause de la fermentation, ce qui entraînera inévitablement des problèmes de digestion.

Il faut rééduquer son goût. Nous sommes tellement habitués à ajouter du sucre et du sel à tout ce que nous mangeons, que nous ne connaissons plus le goût véritable des fruits et des légumes.

Passons maintenant sous la grande ligne horizontale. Les légumes verts crus doivent de préférence précéder et accompagner un repas de féculents ou de protéines. Je vous expliquerai plus loin dans cet ouvrage pourquoi on devrait toujours commencer un repas par des crudités. On ne doit pas manger de pommes de terre ou autres tubercules du même genre, de farineux tels que le pain, le riz ou les pâtes alimentaires en même temps que la viande, le poisson et les autres protéines de source animale. Remarquez qu'au tableau, il n'y a pas de ligne reliant les farineux aux protéines. Résumons tout ceci: les sucres (miel, sucre blanc, sucre brut, sucre de canne, sirop d'érable, etc.) doivent être mangés seuls. On doit attendre une heure avant de manger autre chose. On doit manger les fruits seuls, sans miel, sans pain, sans sucre et sans viande. Il faut les manger nature. Exception faite des agrumes tels que les oranges, les tangerines, les clémentines, les citrons, les pamplemousses, etc. On peut accompagner ces derniers de noix ou de fromage de type cottage ou à la pie. Il ne s'agit cependant pas d'une combinaison idéale. On peut manger les fruits doux tels que les bananes et les dattes avec du yogourt nature. Après avoir mangé des fruits seuls il faut attendre environ deux heures avant d'absorber des légumes, du sucre, des féculents ou des protéines.

Par contre, les légumes crus ou cuits se mangent très bien avec féculents et protéines. On ne doit pas manger de pommes de terre ni aucun autre féculent avec la viande, le poisson et les diverses protéines animales.

La pomme de terre, si elle est certainement un légume, est avant tout considérée comme une importante source de féculents.

Au tableau des combinaisons alimentaires, nous vous suggérons de manger des fruits au petit-déjeuner, des féculents à midi et des protéines le soir. La raison en est fort simple: les fruits sont dépuratifs et continuent la désintoxication de la nuit. Ils préparent donc la voie aux autres repas. Si l'on ne prend pas l'habitude de manger ses fruits le matin, il est probable que l'on n'en mangera pas de la journée, puisqu'il ne faut pas les manger en même temps que les autres aliments. Le matin, mangez donc des fruits de préférence frais ou séchés. Mangez-en à votre faim. On suggère de manger les féculents ou farineux à midi étant donné qu'il sont moins long à digérer que les protéines. Ainsi, l'estomac sera vide pour le souper puisque nous avons presque tous l'habitude de prendre nos repas à heure fixe, appétit ou pas. Le laps de temps qui s'étend entre le souper et le petit-déjeuner suivant permet la digestion des protéines qui peuvent mettre de quatre à six heures à sortir de l'estomac. Vous serez donc plus en forme si vous prenez l'habitude de manger des fruits au petit-déjeuner, d'autres fruits encore en guise de collation durant l'avant-midi; une salade de crudités et des féculents à midi; une demi-heure avant le repas du soir, un verre de jus de légumes fait à l'aide de l'extracteur à jus, une salade de crudités avec les protéines (viande, poisson, poulet, œufs, fromages, noix, tofu, etc.) auxquels on peut ajouter des légumes cuits si on en a envie. On remarquera que le repas ne se termine pas par un dessert, gâteau ou fruits. Notons aussi qu'il est déconseillé de boire en mangeant car l'eau dilue les sucs gastriques. Par conséquent, cela ralentit la digestion. L'idéal demeure de ne pas boire à la fin du repas. Si on a mangé beaucoup de fruits ou beaucoup de légumes crus, on n'aura pas soif. Ce n'est qu'une habitude à prendre. Il ne faut surtout pas boire de café, de thé ou de lait. On doit les remplacer par des infusions, des tisanes ou des cafés de céréales. Il en sera question plus loin dans cet ouvrage.

À présent, expliquons pourquoi il faut toujours commencer un repas en mangeant des crudités. Après un repas composé d'aliments cuits (potage, viande, légumes), le nombre de globules blancs contenus dans le sang passe de 7 000 par millimètre cube (taux normal) à 10 000 par millimètre cube en dix minutes, puis à 30 000 en 30 minutes. Leur nombre redevient normal après 90 minutes. Le découvreur de ce phénomène, le docteur Virchow (1821-1902), le baptisa leucocytose. Le médecin prussien comprit que cette augmentation du nombre de globules blancs accompagne toute inflammation, en particulier les maladies infectieuses. Elle peut être considérée comme une réaction défensive passagère contre un élément étranger à l'organisme. D'autre part le docteur Virchow a observé qu'après un repas composé uniquement de végétaux crus, cette hyperleucocytose ne se produisait pas. Le même phénomène peut être observé lorsqu'on mange des aliments cuits après avoir déjà mangé des aliments crus. **Il est important de souligner que c'est après avoir mangé des aliments crus**. Tout se passe comme si les aliments naturels et vivants (dont les éléments n'ont pas été tués par la cuisson) n'étaient pas étrangers à l'organisme, puisqu'ils ne provoquent pas une réaction défensive, comme le font les denrées cuites. Consommer des denrées crues avant les denrées cuites assure une bonne digestion et neutralise les sensations de fatigue et de somnolence ressenties très souvent après un repas composé uniquement d'aliments cuits. Les plus fortes leucocytoses sont celles enregistrées après l'ingestion d'alcool, de vinaigre, de sucre blanc et de produits en conserve et évidemment d'aliments cuits chauds ou froids. Résumons cela: les globules blancs ou leucocytes défendent l'organisme contre tout agresseur. Par exemple, lorsqu'on se blesse, une armée de globules blancs se précipitent sur la plaie et se multiplient afin de détruire les microbes, c'est-à-dire les agresseurs. L'alcool, le vinaigre, les aliments cuits, étant des aliments de second ordre, sont donc des agresseurs. Les globules blancs prolifèrent afin de défendre l'organisme contre eux. Si on répète ces erreurs à tous les repas, le sang comptera davantage de globules blancs que de globules rouges et l'anémie s'installera.

Autre chose importante à déterminer: nous savons que les glucides ou hydrates de carbone doivent être hydrolysés par la digestion en sucres simples afin d'être absorbés. Les seuls sucres simples que l'on retrouve dans la nature à l'état pur et qui ne requiert aucune transformation digestive sont le sucre contenu dans les fruits et le miel. L'organisme ne doit dépenser aucune énergie nerveuse afin de les convertir en sucres simples car ils le sont déjà. Les autres hydrates de carbone ou glucides, les farineux par exemple, sont réduits par la ptyaline (l'enzyme digestive contenue dans la salive) en maltose, un sucre complexe. Le maltose subit à son tour dans l'intestin l'effet de la maltase qui le réduit enfin en sucre simple: le glucose. Ce processus exige une dépense d'énergie de l'organisme. Voilà pourquoi il est faux de prétendre que l'on augmente son énergie en mangeant du chocolat ou des sucreries. La dépense d'énergie nerveuse que doit fournir l'organisme afin de convertir ces sucres complexes en sucres simples équivaut à l'énergie que procurent ces sucres. Leurs actions se neutralisent. On ne le répétera jamais assez: les meilleurs sucres sont contenus dans le miel et les fruits frais ou séchés, sans additif aucun. Il ne faut cependant pas les manger n'importe quand. À ce sujet, consultez le tableau des **bonnes combinaisons alimentaires.**

Je viens de vous expliquer, chers amies et amis, la manière idéale de vous alimenter. Adoptez-la et vous vivrez en santé. Finis les maux de tête, la constipation, les migraines, l'obésité, etc. Bien entendu, il ne sera peut-être pas facile de modifier de mauvaises habitudes acquises depuis tant d'années et surtout de changer sa façon de penser mais la vie nous confronte à un choix: fonctionner à 50% de son potentiel en traînant nombre de malaises ou bien fonctionner à 100% grâce à une alimentation saine, naturelle et succulente.

Être bien dans sa peau, n'est-ce pas agréable? Une petite suggestion, répétez-vous des paroles positives comme:

- les **bonnes combinaisons alimentaires** sont faciles de compréhension et d'application et m'apportent une meilleure santé et le poids désiré;

Visualiser le poids voulu.

Nous sommes esprit et corps.

Pour partir du bon pied et tenir bon plus d'une semaine, je vous suggère de changer vos habitudes alimentaires en trois étapes.

1- **Les déjeuners**
Mangez des fruits à satiété le matin, vous pouvez en manger d'autres l'avant-midi, arrêtez une heure et

demie avant le dîner. Ne vous préoccupez pas des repas du midi et du soir. Acclimatez-vous, faites cela pendant deux à trois semaines afin de vous sentir à l'aise avec cette nouvelle manière de commencer votre journée. Important : si vous n'êtes pas habitué(e) à manger des fruits, il se peut que vous ayez une diarrhée. Il ne faut pas vous affoler.

2- **Les dîners**
Suivez ensuite les **bonnes combinaisons alimentaires** pendant deux à trois autres semaines.

3- **Les soupers**
Vous avez assimilé les déjeuners, les dîners et vous complétez avec les soupers, ce qui veut dire qu'en deux ou trois mois, vous posséderez et pratiquerez parfaitement la technique des **bonnes combinaisons alimentaires** et vous serez satisfait(e) de vous. Bravo.

Toutefois celles et ceux qui sentent la force de changer radicalement, allez-y. Tout peut se faire. Dites-vous ceci: «Un but précis est le point de départ de tout aboutissement.»

Chapitre 5

CE QUE L'ON DOIT MANGER ET CE QUE L'ON DOIT ÉVITER

Vous voulez vivre en santé et en beauté, mettez en pratique ce qui suit.

À présent que vous connaissez les six catégories d'aliments que comprend toute alimentation équilibrée, que vous savez comment fonctionne le système digestif, que vous savez quand et comment manger les aliments, c'est-à-dire quelles sont les **bonnes combinaisons alimentaires**, il vous faut connaître la différence entre les aliments sains ou naturels et les aliments nocifs ou nuisibles à la santé. Pour ce faire, passons en revue les différentes catégories d'aliments.

1- Les glucides ou hydrates de carbone

De tous les sucres, le meilleur provient des fruits, toutefois ceux-ci doivent être mûris à point. Vient ensuite le miel. On ne doit pas le consommer avec d'autres aliments, pas même avec un breuvage chaud pris à la fin d'un repas. Souvenez-vous des **combinaisons alimentaires**. Il est préférable de prendre le miel dilué dans une tasse d'eau chaude, non pas bouillante, ou dans une tisane lorsque l'estomac est vide. Par exemple, au lever. Il faut ensuite attendre une heure avant de manger quoi que ce soit. Le miel naturel non pasteurisé contient de nombreuses vitamines et des oligoéléments. Le miel naturel est un aliment énergétique. Il est aussi un antiseptique ou bactéricide naturel. Appliqué sur des plaies, blessures ou ulcères, il les nettoie et répare les tissus lésés. On doit éviter le miel pasteurisé qui contient un pourcentage d'eau ainsi qu'un antiferment chimique. De plus, la pasteurisation détruit les enzymes du miel et enlève une grande partie de sa valeur nutritive.

2- Les farineux ou féculents

Il ne faut manger que des céréales complètes si nous voulons donner à notre organisme tous les minéraux et vitamines dont il a besoin. Il faut donc bannir les farines blanches et leurs dérivés: le pain blanc, les brioches, les biscuits, toute la gamme des céréales à déjeuner, le riz blanc, etc. On doit remplacer ces aliments par des farines de blé entier, de soya, de sarrasin, de seigle, etc., qui ne sont pas chimifiées; ou par des céréales du genre granola (sans fruits toutefois) de même que l'on doit substituer au riz blanc du riz brun ou entier.

3- Les protides ou protéines

Il faut choisir la viande la plus maigre qui soit. Elle doit être bouillie, rôtie ou cuite à la vapeur, jamais cuite dans le beurre, dans l'huile ou dans un autre corps gras. Il en va de même pour le poulet et le poisson. Procurez-vous du poulet organique, élevé à picorer librement des grains. Achetez des œufs de poules nourries biologiquement, c'est-à-dire de la volaille qui ne vit pas en cage et que l'on ne force pas à pondre nuit et jour. Ces œufs peuvent être bruns ou blancs. Tout dépend de la couleur de la poule. Vous en trouverez chez les marchands d'aliments naturels. On doit acheter du fromage maigre, non coloré. Le fromage cottage ou à la pie est indiqué. Il existe des fromages de type mozzarella dont la teneur en gras n'est que de 15%; il y en d'autres de 7 % et même moins. Ils accompagnent très bien une salade et servent à gratiner. Attention aux poissons car nos eaux sont presque toutes polluées par des déchets de toutes sortes. Souvenez-vous des empoisonnements au mercure. Je ne veux pas sembler alarmiste mais les faits parlent d'eux-mêmes. Parmi toutes les noix, on conseille les amandes blanches crues car elles sont moins acidifiantes que les autres. Le tofu est une source de protéine entièrement végétale vendue sous la forme d'un fromage blanc grisâtre. Fabriqué à partir de la fève de soya, on le surnomme «fromage de soya». Les champignons, les olives noires, la luzerne, la fève de soya, les noix, les graines de tournesol, de sésame, de citrouille et de lin contiennent aussi des protéines entièrement végétales. On sait à présent que l'on retrouve les protéines complètes dans les protéines animales, le lait humain, les œufs, la luzerne et la fève de soya. On conseille donc aux végétariens de diversifier leurs sources de protéines végétales afin que leur alimentation inclue tous les acides aminés essentiels à la santé. Ainsi, un mélange de graines de tournesol, de sésame, de citrouille et de lin fournira tous les acides aminés essentiels. On peut en ajouter quelques cuillerées à soupe à la salade. On achète la luzerne germée à tous les comptoirs de légumes. On peut même en faire germer chez soi. À poids égal, la luzerne contient plus de protéines que la viande. On doit cuire les œufs mollets, les pocher ou les faire bouillir durant deux minutes ou alors les faire cuire dans une poêle qui ne nécessite aucun gras. Le blanc doit toujours être cuit tandis que le jaune doit demeurer liquide. Voici pourquoi: le jaune contient de la lécithine et du cholestérol. Lorsque le jaune est cuit dur, la lécithine est détruite et il ne reste plus que le cholestérol. Le blanc cru tue la biotine (vitamine H) de notre organisme. On ne devrait pas manger plus de trois œufs par semaine.

<u>Très important</u>: on ne doit jamais manger deux ou trois protéines au même repas, une seule suffit. On doit aussi réduire sa ration de viande. MÉFIEZ-VOUS DES DIÈTES DE PROTÉINES ANIMALES.

4- Les lipides

De tous les corps gras, les meilleurs pour la santé sont les huiles mécaniquement pressées. Il ne faut jamais chauffer les huiles. Toutes les huiles chauffées donnent du cholestérol. Il en va de même pour le beurre, la margarine et tout autre corps gras. Tout corps gras contient de la glycérine qui, une fois chauffée, se change en poison nommé acroléine. Nous en reparlerons plus loin.

5- Les vitamines et les minéraux

Afin de consommer toutes les vitamines et tous les minéraux nécessaires à l'organisme, on doit manger beaucoup de fruits et de légumes crus. On sait que la cuisson détruit environ quarante à cinquante pour cent de leur valeur nutritive. Plusieurs vitamines sont volatiles c'est-à-dire qu'elles s'évaporent facilement. En ce qui concerne les minéraux, si nous jetons l'eau de cuisson, nous les perdrons presque tous car ils sont solubles dans l'eau. Par conséquent, l'évier sera mieux alimenté que nous! On conseille de faire cuire les légumes à la vapeur, dans une marguerite. On peut se la procurer dans tous les rayons d'articles de cuisine des grands magasins. Pour ce qui est des produits surgelés, ils ont perdu 25% de leur valeur nutritive.

6- L'eau

L'eau est essentielle à la vie et est présente dans toutes les cellules du corps. Elle représente 70% du poids du corps humain. L'organisme comble son besoin en eau (deux ou trois litres par jour) par l'eau sous forme de boisson et par l'eau contenue dans les fruits et les légumes. L'eau sert à véhiculer les substances nutritives ainsi que les déchets du métabolisme. Il faut donc boire la meilleure eau possible. Éviter thé, café, lait, chocolat chaud ou froid.

On doit aussi rayer de son alimentation les épices fortes telles que le poivre et la moutarde qui sont des excitants et des agents irritants pour le tube digestif. Les vinaigres blanc, de cidre, de vin, etc. doivent être bannis de l'alimentation. Le vinaigre, le citron et tout autre acide utilisé dans les vinaigrettes arrêtent brusquement la sécrétion chlorhydrique et font obstacle à la digestion des protéines consommées au cours du repas.

Nous avons vu que les aliments les plus naturels sont ceux qui poussent dans les jardins cultivés selon la méthode biologique: les fruits, les légumes, les noix et les grains. Viennent en second lieu les animaux nourris de grains et de fourrage naturel. Sont aussi naturels les aliments composés d'ingrédients exclusivement naturels. Parlons à présent des aliments les plus courants de notre alimentation quotidienne.

Le pain

Le pain de céréale entière acheté dans un magasin d'aliments naturels est fait avec de la farine de blé entier ou de seigle, etc., non chimifiée et du levain. On y ajoute un peu de sel de mer ainsi que de l'eau de source. Certains boulangers ajoutent encore du sucre brut, de l'huile de tournesol et de la levure pour remplacer le levain. Toutefois, il est préférable de manger du pain fait avec du levain car, selon certaines recherches, la levure ajoutée aux céréales produit de l'acide phytique qui sera une des causes de la déminéralisation. Ce pain contient tous les éléments nutritifs du blé, du seigle, etc., nécessaires à la santé. Excellents au goût, ces pains ne constipent pas. Par contre, le pain blanc n'a aucune valeur nutritive parce qu'il est fait avec de la farine blanche blutée à l'excès, à laquelle on ajoute une vingtaine de produits chimiques et quelques vitamines synthétiques qui ne sont d'aucune utilité. De plus, le pain blanc est insipide. Il engendre la constipation et dérobe à l'organisme ses provisions de vitamines et d'oligoéléments. Afin qu'un aliment soit digéré et assimilé par l'organisme, il doit être complet. Sinon, l'aliment incomplet puise dans les réserves de l'organisme les vitamines et les minéraux nécessaires à sa digestion. On doit conserver au réfrigérateur les pains et les farines de céréales entières car ils ne contiennent aucun agent de préservation.

À Montréal (au 3960, av. De Courtrai, dans le quartier Côte-des-Neiges), la boulangerie La Fournée Ynew fabrique des pains au levain d'une grande valeur nutritive et d'une saveur exquise: point n'est besoin d'être naturiste pour les adopter. C'est du pain 100% intégral. On y produit, entre autres, des pains de seigle et kamut, sarrasin et épeautre. Le levain est produit avec la même farine qui servira à faire le pain. Il est préférable de garder ces pains de trois à quatre jours en dehors du réfrigérateur pour qu'ils arrivent à pleine maturité et, ce faisant, développent un meilleur goût. La spécialité de la maison est un pain sans levure et sans blé. Ces pains sont vendus dans tous les magasins d'aliments naturels.

Le sel
Le sel de mer contient de l'iode naturel et des oligoéléments. Il est le résidu de l'évaporation de l'eau de mer. Le sel

gemme, soit le sel vendu dans toutes les épiceries est tiré des mines souterraines. À l'origine c'était du sel marin mais il a perdu son iode naturel. De plus, il est ultra raffiné. Il ne contient donc plus aucun oligoélément. Si l'on tient mordicus à saler ses aliments, il vaut mieux employer du sel de mer. Mais il est préférable de s'abstenir de saler. On peut remplacer le sel par des fines herbes: fenouil, origan, marjolaine, thym, menthe, carvi, basilic, etc. On trouve aussi sur le marché un assaisonnement végétal avec ou sans sel de mer appelé Herbamare.

Le sucre

Le sucre provient de l'évaporation du jus de canne à sucre. Si on le raffine, c'est-à-dire si on lui retire ses oligoéléments et ses autres matières organiques, on obtient un produit chimique appelé ironiquement «le sucre blanc». Ce sucre est un poison pour l'organisme. Il est décalcifiant. Au contraire, le sucre brut contient quantité d'oligoéléments et certaines vitamines. On doit l'employer de préférence au sucre blanc. Toutefois il faut en restreindre l'usage.

La mélasse

Bien qu'elle soit un produit naturel, il ne faut pas en abuser. La mélasse brute est certainement la seule prescrite. La meilleure manière d'en consommer est d'en prendre une cuillère à soupe diluée dans une tasse d'eau chaude le matin à jeun, une heure avant le petit-déjeuner. On ne doit jamais manger de mélasse avec des féculents. Il faut donc la bannir absolument en tartinade sur du pain, des crêpes, des biscuits. Sinon, on s'empoisonnera avec les effets de fermentation. Les personnes qui ressentent des rages de sucre ont le foie engorgé. Devenu naturiste, on ne consommera plus qu'une petite quantité de sucre car on aura rééduqué son goût. La mélasse brute non sulfurisée contient environ 50% de fructose – facilement assimilable –, de nombreuses vitamines, en particulier celles du groupe B, ainsi que des sels minéraux. La mélasse brute exerce aussi une action bienfaisante sur le péristaltisme de l'intestin, facilitant l'élimination des matières fécales. La mélasse, comme le sucre, vient de la canne à sucre que l'on lave, que l'on hache et que l'on presse. On fait bouillir jusqu'à l'évaporation d'une partie du jus. Il se forme alors des cristaux de sucre dans la mélasse, laquelle est passée dans une centrifugeuse pour séparer le sucre de la mélasse.

Le beurre

On peut remplacer le beurre de fabrique par de la margarine. On doit cependant se méfier des margarines faites à base d'huiles hydrogénées, même si leur pourcentage est peu élevé. L'hydrogénation a pour but de modifier la chaîne moléculaire du gras pour faire passer l'huile de l'état liquide à l'état solide, ce qui produit un taux élevé de cholestérol. On peut tartiner son pain avec du beurre de sésame, de noix, d'arachide et avec du pâté végétal.

Le beurre d'arachide

Le beurre d'arachide est très nutritif lorsqu'il est fait à partir d'arachides complètes auxquelles aucun additif chimique n'a été ajouté. Il contient plusieurs acides aminés essentiels, des matières azotées et grasses, de même que plusieurs vitamines importantes (A, B et E). Par contre, le beurre d'arachide de type commercial contient de l'huile hydrogénée, de l'eau, du sucre blanc, du sel raffiné ainsi que des agents de conservation chimiques. Ce beurre d'arachide contribue à faire hausser le taux de cholestérol dans le sang.

Les pâtes

Les pâtes alimentaires valent ce que vaut la farine qui a servi à leur préparation. Elles possèdent donc les mêmes caractéristiques que le pain. De même qu'il faut éviter le pain blanc fait avec de la farine raffinée et à laquelle on a ajouté de nombreux produits chimiques, il faut éviter les pâtes faites à partir de ces farines. Celles que l'on offre dans les marchés d'aliments naturels sont faites avec différentes céréales et avec différents légumes.

Les huiles végétales

À cause de leur haute teneur en acides gras non saturés, les huiles naturelles (c'est-à-dire provenant d'une première pression à froid, ou mécaniquement pressées) doivent entrer dans l'alimentation quotidienne et plus particulièrement dans les salades. On les trouve en grande variété: soya, maïs, tournesol, olive, safran, germe de blé et le reste. Délicieuses au goût, elles contribuent au combat contre l'accumulation de cholestérol dans les vaisseaux sanguins grâce à la lécithine qu'elles contiennent. Par contre, on doit se méfier des huiles végétales offertes dans le commerce car la plupart d'entre elles sont extraites par la chaleur ou par des procédés chimiques, ce qui sature les gras, détruit la lécithine et produit du cholestérol. Il ne faut jamais chauffer les huiles. On doit donc bannir la friture.

Le riz

Non seulement le riz entier est-il meilleur pour la santé car il contient des vitamines et des minéraux, mais il l'est aussi au goût. Le riz blanc ne contient que de l'amidon. Toute graine céréalière est formée d'une coque, d'un germe et d'une partie centrale. Le germe et la coque sont riches en minéraux et en oligoéléments (manganèse, cobalt, cuivre, zinc, fer et ferments). Le germe contient les vitamines A et E; la coque, les vitamines du complexe B ainsi que la vitamine F et les huiles. Le centre est surtout formé d'amidon.

Le thé

Le thé contient de la théine, ou caféine, qui est un agent cancérigène. Le thé doit être remplacé par des tisanes. Si l'on veut absolument avoir une saveur de thé, je vous conseille la tisane sans caféine «Caf-Lib» qui est un mélange composé à 100% d'herbes sans caféine et à saveur naturelle de thé. Elle se présente sous forme de petits sachets qu'on n'a qu'à ébouillanter et à boire. C'est un excellent breuvage. Il est en vente dans tous les magasins d'aliments naturels et les boutiques spécialisées.

Le café

Nous le savons presque tous, le café contient de la caféine qui est un agent cancérigène, un excitant pour le cœur et un poison pour les nerfs. L'humain moderne a besoin des coups de fouet que lui infligent de nombreuses tasses de café pour fonctionner. Les cafés naturistes préparés à partir de fèves de soya, de grains de céréales rôties ou de fruits séchés sont exquis et inoffensifs pour le système nerveux. On en trouve plusieurs sortes sur le marché, qui varient selon leur composition. Je me permets de vous suggérer le «Caf-Lib» qui est fait d'extrait d'orge rôti, de seigle, de chicorée et de racines de betteraves. Il est savoureux. Le «Caf-Lib» est 100% naturel. C'est un substitut de café instantané. Il est en vente dans tous les magasins d'aliments naturels.

Le lait

La raison pour laquelle nous ne devons pas boire de lait est la suivante: à mesure que l'on vieillit, notre organisme produit de moins en moins de présure, une enzyme qui facilite la digestion du lait. Voilà pourquoi les adultes ne doivent pas boire de lait. Qui plus est, il favorise la formation de mucus, cause de sinusite, maux d'oreilles, surdité. Si l'on tient absolument à boire du lait, il faut le boire seul. Lorsqu'il fait son entrée dans l'estomac, le lait se coagule en grumeaux qui tendent ensuite à enrober les aliments, les isolant ainsi des sucs gastriques, ce qui reporte leur digestion après celle du lait caillé. Le lait au chocolat est aussi à bannir car en plus du lait il y a le chocolat qui est un excitant pour les nerfs et contient de la théobromine qui est un agent cancérigène.

Les céréales

A) Je vous conseille de toujours vous servir de céréales entières. Autant pour le pain que pour toutes les autres pâtisseries. Les céréales entières contiennent des minéraux, des oligoéléments (zinc, cobalt, cuivre, etc.) et des vitamines A, B et E. Le raffinage enlève et fait perdre au moins 70% des substances les plus nutritives comme le son, le germe, l'enveloppe, ne laissant que le centre du grain qui ne contient que l'amidon. On dit souvent que le pain de blé entier est plus engraissant que le pain blanc. C'est à moitié vrai. La différence de calories entre une tranche de pain blanc de 30 g (82 calories) et une tranche de blé entier de même poids (73 calories) n'est pas énorme. Ce qui change par contre, c'est que le pain de blé entier étant plus nourrissant, on en mange moins. Il en est de même pour le coût du pain. Beaucoup de gens prétendent que le pain de blé entier acheté dans une boutique d'aliments naturels est plus cher que le pain blanc. Le coût à l'achat est plus élevé mais il est plus économique à l'usage parce qu'on en consomme moins et, de plus, on se nourrit plus adéquatement.

B) <u>Le blé entier</u> contient plusieurs vitamines du groupe B, de la vitamine E, de la vitamine K (coagulant du sang) ainsi que des minéraux: calcium, magnésium, potassium, phosphore; des oligoéléments comme le zinc, le fer, la silice. Cette dernière se trouve à la périphérie (autour) des fruits et des grains, d'où l'importance de ne pas décortiquer le blé avant d'en faire du pain. Dans le blé entier, pour 100 g de farine, il y a 9,5 g de fibres contre 3,15 g dans la farine blanche (synonyme de constipation). La silice est très importante pour le durcissement normal et naturel des tissus: muscles, dents, os, ongles, cheveux, poils, etc. Alors ceux qui ont des problèmes d'ongles cassants, de perte de cheveux, etc., vous savez pourquoi, maintenant.

C) <u>Le kamut,</u> dont on entend de plus en plus parler, appartient à la famille des blés. Il offre, dit-on, une source énergétique plus élevée que le blé ordinaire. Cette céréale ancestrale aurait été cultivée dans la vallée du Nil.

D) <u>L'épeautre</u> est une céréale cultivée en Europe depuis plus de 9 000 ans. On dit que l'épeautre contient plus de protéines, de graisse et de fibres brutes que le blé.

E) <u>Le seigle</u> est une céréale qui aide à la fluidité du sang. Il faut l'utiliser complète ou presque. Levant moins que le pain de blé, le pain de seigle est un peu plus dur à digérer. Il faut le consommer rassis. Il contient certains minéraux comme le fer, le calcium, etc.

F) <u>Le millet</u> est une céréale méconnue. Il est riche en hydrates de carbone et il contient une bonne proportion de protéines et de lipides. Selon la sorte de millet, sa teneur en protéines varie de 6,2 à 12,7 %. On y trouve des vitamines du groupe B comme la thiamine, la riboflavine et la niacine. On y trouve aussi du fer, du phosphore, du calcium, du magnésium et plusieurs autres minéraux et oligoéléments. Il est une excellente source de protéines. On a donc avantage à consommer souvent cette céréale. G) <u>Le sarrasin</u>. La farine de sarrasin est entière: rien n'y est enlevé ni ajouté. Ses valeurs vitaminiques sont naturelles. Le sarrasin contient beaucoup de calcium, de magnésium, de potassium, de phosphore et de vitamines B et E. Le sarrasin est également reconnu pour sa teneur en lysine, un acide aminé que l'on ne trouve pas dans les céréales, et en rutine, une substance qui favorise une meilleure circulation sanguine. Parce que son grain ressemble à celui d'une céréale, on classe généralement le sarrasin comme tel. En fait, c'est une plante annuelle de la famille des polygonums et apparentée à la rhubarbe et aux épinards (source: *La fleur de sarrasin* d'Hélène Proulx). Le sarrasin est donc un aliment d'une très grande valeur nutritive.

La fève de soya

Il faut laver et faire tremper les fèves pendant 24 à 48 heures. Les placer au réfrigérateur pour empêcher qu'elles fermentent. Ensuite, les faire cuire comme les haricots blancs. Le volume des légumes secs varie selon la durée du trempage. Le haricot et la lentille doublent de volume alors que la fève de soya conserve son volume original.

La caroube

On peut trouver sur le marché des tablettes de caroube sans sucre ni miel, de la caroube en poudre ainsi que des brisures de caroube. La caroube remplace avantageusement le chocolat ou le cacao. La caroube est un fruit à pulpe sucrée et comestible. Elle provient du caroubier, un arbre méditerranéen atteignant dix mètres de hauteur.

On fait sécher la caroube, on la rôtit et on la pulvérise. La caroube a un goût similaire au chocolat mais elle n'a pas d'effet nocif.

Elle ne contient aucune méthylxanthine, elle a presque 8% de protéines, beaucoup de sucre naturel (environ 45%), quelques vitamines du groupe B, du calcium, du magnésium et du potassium, quelques oligoéléments comme le fer, le manganèse, le chrome, le cuivre et le nickel. De plus, elle est trois fois plus riche en calcium que le chocolat et elle contient 17 fois moins de gras que le chocolat.

La caroube, une riche source de pectine, aide à la digestion et à l'élimination. La pectine de la caroube est utile pour faire cesser les diarrhées, les nausées et les vomissements. Tout comme les autres fibres, la pectine régule l'estomac et elle aide à éliminer les toxines de l'organisme.

Le yogourt

Le yogourt étant une protéine, il ne peut être mangé avec d'autres protéines ou des féculents ni comme un dessert. On doit le manger nature, toutefois on peut le manger avec des fruits doux comme la banane, la poire, les dattes et en faire un repas. On a souvent pensé que le yogourt était la nourriture des dieux. Il était synonyme de longévité. Voici: le scientifique russe Élie Matchnikoff, zoologiste, microbiologiste et récipiendaire du prix Nobel de la paix, a cru trouver le secret de la longévité dans le yogourt, se basant sur le fait que les Bulgares qui en étaient de gros consommateurs atteignaient un âge très avancé. Matchnikoff se mit à consommer de grandes quantités de yogourt, ce qui ne l'empêcha pas de mourir à 71 ans.

Morale de l'histoire: un seul aliment ne peut donner la santé.

Je voudrais ajouter ceci: en mangeant continuellement des aliments pauvres en éléments nutritifs, nous développons des carences. Évidemment, nous ne sommes pas toujours en mesure de nous procurer des fruits et légumes biologiques mais il vaut mieux se nourrir de fruits et de légumes crus de nos marchés que de grignoter des chips, des croustilles, du chocolat ou encore de boire des boissons gazeuses et de s'alimenter avec des conserves. Ce faisant, nous mangeons moins et sommes mieux nourris. La cuisson détruit entre 40 et 50% de la valeur nutritive des aliments. Il faut toujours manger des légumes verts crus avec les protéines animales; la chlorophylle des végétaux prévient les dépôts de cholestérol sur les parois des vaisseaux sanguins. Elle contribue donc à l'élimination des gras. Il faut donc éliminer de son alimentation tous les fruits et les légumes en conserve car leur valeur nutritive est presque nulle. Ces légumes sont déjà cuits et nous leur donnons une deuxième cuisson. Très souvent on ajoute un produit chimique afin de conserver la couleur des légumes.

En ce qui concerne les fruits en conserve, ils baignent dans un sirop. Nous savons que sucre et fruits produisent une fermentation. On doit manger des fruits mûris à point afin de bénéficier toute leur valeur nutritive. Ainsi, les bananes doivent être mangées lorsque la pelure est tavelée de taches brunes. L'intérieur du fruit doit être intact. Il ne faut pas manger les parties jaunes car elles ont atteint un niveau de fermentation équivalent à celui de l'alcool. Les fruits séchés ne posent aucun problème de santé; toutefois, quiconque veut maigrir doit s'en abstenir à cause de leur forte teneur en sucre. La rhubarbe, le chou et les épinards doivent être mangés crus. La cuisson produit de l'acide oxalique, l'une des causes de l'arthrite.

Terminons cet exposé en citant l'écrivaine Marguerite Yourcenar, première femme admise au cénacle des quarante Immortels, qui met dans la bouche de l'un de ses personnages de sages paroles dignes d'être lues et entendues au sujet de l'alimentation : *«Une opération qui a lieu deux à trois fois par jour et dont le but est d'alimenter sa vie mérite assurément tous nos soins.»*

Les principaux aliments générateurs d'acide (c'est-à-dire les aliments qui acidifient l'organisme) sont :
- tous les aliments carnés, y compris la volaille et le gibier, mais aussi le poisson;
- les noix, à l'exception des amandes;
- les arachides;
- les petits haricots, les pois secs, les lentilles, les légumineuses;
- toutes les céréales (le pain, le riz, etc.);
- la farine blanche et tous les mets à base de céréales raffinées;
- le sucre;
- le thé, le café, le cacao;
- toutes les graisses et les huiles;
- les protéines;
- les fromages, le lait.

Les principaux aliments générateurs de base (c'est-à-dire les aliments qui alcalinisent l'organisme) sont:
- tous les fruits doux ou acides, frais ou séchés;
- tous les légumes frais ou séchés;
- les amandes, les noix du Pérou.

Fruits doux
- Bananes, poires, kakis.
- Les fruits séchés: figues, pruneaux, dattes, raisins, etc.

Ces fruits peuvent être mangés avec du yogourt.

Fruits acidulés
- Mi-acides: cerises, pêches, certaines variétés de poires, prunes, abricots, pommes mûres, fraises, framboises, bleuets, nectarines, kiwis.
- Acides: oranges, tangerines, clémentines, mandarines, pamplemousses, citrons, ananas, tomates.

Les agrumes peuvent être mangés avec des noix ou du fromage. Les fruits acides et mi-acides peuvent être mangés ensemble. On devrait manger le raisin seul (vert, rouge, etc.) et les melons seuls (miel, cantaloup, etc.). Ceci pour une meilleure digestion. La croyance populaire veut que tous les fruits acides soient acidifiants pour l'organisme. Ce n'est pas tout à fait vrai. La vérité est tout autre. En raison de leur grande concentration en minéraux alcalinisants tels que le calcium, le magnésium, le potassium, le sodium, ces fruits laissent un fort résidu basique (alcalinisant) dans l'organisme.

La confusion provient de ce que ces fruits contiennent certains acides organiques comme l'acide citrique. Toutefois, ceux-ci sont généralement neutralisés par les sucs digestifs et éliminés. Si vous mangez selon la technique des combinaisons alimentaires, vous n'aurez aucun problème (voir tableau des combinaisons alimentaires).

Le sucre blanc attire à lui seul tous les minéraux, les vitamines et les oligoéléments, enfin toutes ces substances vitales qui lui font défaut. Il se combine au calcium et ainsi dégrade de l'intérieur les os et les dents qu'il carie. De plus, il diminue la résistance aux infections. Afin de maintenir l'équilibre du sucre dans le sang, le pancréas sécrète de l'insuline. Lorsque cet équilibre est perturbé surgit alors le diabète ou l'hypoglycémie. Le sucre blanc est donc à proscrire. De plus, il ne faut pas abuser du sucre brut.

Conclusion

Pour tenir compte de l'acidité et de l'alcalinité, les repas du midi et ceux du soir devraient inclure entre 75 et 80 % de légumes et de 20 à 25 % d'aliments générateurs d'acides. Pour les déjeuners, rien d'embêtant, des fruits et encore des fruits, sauf les quelques exceptions qui doivent garder les mêmes proportions que les légumes.

Chapitre 6

SAVIEZ-VOUS QUE...

Si nous mangions uniquement des crudités, nous mangerions environ deux fois moins et nous serions en meilleure forme physique et mentale; de plus, nous réaliserions des économies.

En effet, une étude publiée par un organisme de protection du consommateur indiquait ceci : «*Le consommateur qui veut bénéficier de la même valeur nutritive que celle que procurent les légumes frais doit absorber 40% de plus de légumes en conserve et 25% de plus de légumes surgelés. D'autre façon, on peut dire qu'un dollar de légumes frais vaut 1,40$ de légumes en conserve et 1,25$ de légumes congelés. Aussi, en tenant compte de la quantité d'eau contenue dans les légumes en conserve et de leur valeur nutritive, une livre de légumes frais vaut trois livres de légumes en conserve.*» (Tiré de la revue *Mon marché*, vol. 1, été 1980.) Il en est de même pour les fruits frais.

La moutarde et le poivre sont à bannir car ce sont des irritants et des excitants. On peut les remplacer par du sel végétal. Employez plutôt des aromates tels que la marjolaine, le thym, l'origan, la menthe, le carvi, la sarriette, l'estragon et l'Herbamare.

Une cure au jus de raisin peut vous aider à enrayer la transpiration des pieds.

Manger trop de sucre cause une carence en vitamines B. Bien entendu, il n'est pas question du sucre contenu dans les fruits et les légumes frais.

La fièvre découle de l'activité intense des organes dans le travail d'élimination.

Les adultes ayant moins d'énergie nerveuse que les enfants font moins de fièvre.

Les allergies ne sont autre chose qu'un empoisonnement protéique. En combinant bien les aliments, les allergies s'en vont.

Un aliment véritable ne doit pas contenir d'éléments nuisibles.

L'amidon est le seul aliment que la salive peut digérer mais encore doit-il être cuit.

La toxémie est caractérisée par la présence dans le sang, dans la lymphe, dans les sécrétions, dans les cellules, de toute substance qui altère le fonctionnement de l'organisme au-delà d'un certain seuil.

La violation des lois de la vie, en affaiblissant l'organisme, nuit aux fonctions d'excrétion et expose à la toxémie (empoisonnement par rétention des déchets organiques normaux, selon Shelton).

Du jus de citron dans un verre d'eau chaude facilite la digestion.

Les cellules ne peuvent pas vivre en milieu acide.

L'acidose est un destructeur de force.

Le sang normal contient davantage d'éléments basiques que d'éléments acides; cela est nécessaire car, par les bases, les acides sont neutralisés et transformés en sels inoffensifs.

Les tissus du corps ne sont rien d'autre que de la nourriture transformée.

L'acide urique joue un rôle de premier plan dans toutes les affections arthritiques. L'acide urique est le produit terminal du métabolisme des substances azotées appelées purines, qui proviennent des aliments de source animale. La viande maigre, le poulet et le poisson sont pauvres en purines. L'urée est le point terminal du métabolisme des protéines.

Il faut manger le concombre avec la pelure car celle-ci contient l'enzyme digestive. Sans la pelure, le concombre ne se digère pas.

Une betterave par jour maintient l'équilibre de la pression artérielle.

L'amidon ou les farineux combinés aux sucres est un facteur plus important dans la production du rhumatisme que l'excès de viande. Donc on doit bannir tartes, gâteaux, etc.

L'eau représente 70% du poids du corps humain. On élimine environ 2 500 g d'eau par jour : 1 500 g par l'urine, 500 g par la sueur et 500 g par les poumons.

En raison de leur essence sulfurée, le chou et le cresson crus sont excellents pour les poumons.

Une carence en potassium engendre le durcissement des artères. Mangez beaucoup de fruits, en particulier des bananes, des pommes et vous comblerez vos carences.

Le cholestérol est nécessaire à la santé, bien qu'un surplus soit généralement néfaste. Le taux normal de cholestérol sanguin admis par la médecine allopathique (c'est-à-dire conventionnelle) se situe entre 150 et 300 milligrammes par 100 millimètres de sérum. La médecine naturopathique considère que la surcharge commence vers 180 milligrammes (*L'École de la santé*, Marcel Chaput, p. 118).

La malnutrition est un déséquilibre de l'alimentation causé par l'absence d'un ou de plusieurs aliments indispensables.

Un phénomène est physique lorsqu'il n'entraîne pas de changement, par exemple l'ébullition de l'eau. Un phénomène est chimique quand il y a changement par exemple l'eau d'érable qui devient du sirop par l'ébullition.

Chaque cigarette brûle 50 mg et même davantage de vitamine C; par conséquent elle brûle votre santé.

L'alcool est un élément dépresseur.

Un syndrome est l'ensemble des symptômes qui caractérisent une maladie. Un symptôme est un phénomène qui révèle un trouble fondamental, c'est-à-dire un indice.

Les glandes sont des organes ayant pour fonction d'élaborer certaines substances et de les déverser soit à l'extérieur de l'organisme (exocrines), comme les glandes sudoripares et salivaires, soit à l'intérieur (endocrines) comme le foie et la thyroïde.

Tous les produits de charcuterie contiennent des nitrates et des colorants synthétiques.

Le jeûne et la cure de jus sont des méthodes naturelles très rapides pour l'amélioration de la santé.

Un végétarien qui ne suit pas les **bonnes combinaisons alimentaires** peut être en aussi mauvaise forme physique qu'un omnivore.

Il faut manger des légumes verts crus avec la viande, celle-ci étant une source d'acide urique. La chlorophylle des plantes vertes prévient le dépôt d'acide urique aux jointures et sur les cartilages, soulageant ainsi de l'arthrite et du rhumatisme. Bien entendu, plus on mange de légumes verts crus plus le soulagement est efficace. Deux carottes par jour peuvent diminuer de 10 à 20% du cholestérol. Les fibres de la pomme et de l'avoine favorisent aussi l'élimination du cholestérol. Le jus de céleri est diurétique, digestif et amaigrissant. Le jus de céleri est aussi très bon pour vaincre l'arthrite.

D'où vient l'habitude de faire cuire les aliments? Aux temps préhistoriques, lorsque les forêts tropicales fleurissaient dans les régions arctiques (maintenant couvertes de glace), plusieurs variétés de fruits succulents et nourrissants fournissaient à l'humain une nourriture abondante. Pendant une tempête tropicale, la foudre frappa un arbre et la forêt prit feu. Fuyant le brasier, quelques animaux furent rattrapés par les flammes et rôtis. Lorsque les flammes furent éteintes et que les humains s'aventurèrent dans la région incendiée pour nettoyer le terrain, ils trouvèrent les animaux grillés. En les transportant, ils eurent la curiosité de goûter leur chair ainsi rôtie. Ils en aimèrent le goût et elle satisfit leur faim. Ils voulurent donc recommencer. Pour ce faire, il leur fallait du feu. Ils cherchèrent divers moyens de produire une étincelle jusqu'au jour où ils découvrirent que frotter deux morceaux de bois faisait naître une étincelle. À partir de ce jour, l'habitude de manger de la viande cuite s'implanta dans les mœurs.

Pour quiconque veut demeurer en santé ou la recouvrer, l'extracteur à jus est un appareil de cuisine indispensable. On a découvert qu'en mangeant les légumes crus, on ne les assimile qu'à 15% de leur valeur nutritive alors que sous forme de jus, ils le sont à près de 90%. Important: pour que les jus aient toute leur saveur, il est conseillé de les boire dès qu'ils sont extraits. On ne peut pas les conserver même au froid sans qu'ils perdent beaucoup de leurs vertus et de leur saveur.

Un verre de huit onces de jus frais par jour prévient les rhumes et les grippes. Boire des jus ne nous enlève pas le devoir de manger des fruits et des légumes entiers car il faut des fibres pour faire fonctionner les intestins. Quand vous achetez un extracteur à jus, assurez-vous que vous pouvez le faire réparer rapidement et que l'on pourra remplacer les pièces défectueuses en moins de deux.

Je peux vous suggérer le «Gourmet Max». Il est vendu dans tous les magasins d'aliments naturels. C'est un appareil en acier inoxydable d'une qualité supérieure. La pulpe est éjectée à l'extérieur, ce qui permet de faire plusieurs verres de jus à la fois. Le service est garanti, ce qui est très important.

Extracteur à jus.

Important

On se demande souvent quelle quantité de protéines on devrait manger pour être en forme. Si on travaille fort et qu'on dépense beaucoup d'énergie nerveuse, on doit évidemment manger davantage de protéines, d'hydrates de carbone, etc.

«On estime à un gramme de protides par kilogramme de poids la ration quotidienne d'entretien d'un homme adulte, soit environ 70 g pour un adulte qui pèse 70 kg (155 lbs). Les besoins pour un enfant de un à trois ans sont de 3,5 g par kg de poids; de 5 à 12 ans, 3 g par kg de poids; 15 à 17 ans : 2 g par kg de poids; 17 à 21 ans : 1,5 g par kg de poids; 21 ans et plus : 1 g par kg de poids.»
(Extrait de *L'homme dans son milieu*)

«Dieu m'a mis sur terre pour accomplir un certain nombre de choses; présentement, je suis tellement en retard que je ne mourrai jamais.»
(Anonyme)

Très important

Afin de maigrir et de maintenir son poids, il faut suivre les **bonnes combinaisons alimentaires**, éviter les charcuteries, les sucreries, les pâtisseries, les boissons gazeuses, les poissons et les fromages gras, les viandes grasses, les graisses et les sauces, les fruits séchés, l'alcool, les apéritifs, les amuse-gueules tels que les arachides, les croustilles, etc. Il faut y aller mollo avec les féculents. Manger à volonté des fruits, des légumes (frais de préférence). Éviter la banane pour un certain temps.

Afin d'accélérer le processus d'amaigrissement et de désintoxication, vous pouvez une fois par semaine, lors d'une journée de congé par exemple, faire une cure de fruits comme suit:

8 h	une grappe de raisins
10 h	une orange
12 h	une pêche
14 h	un kiwi
16 h	une poire
18 h	un demi-cantaloup
20 h	trois prunes
22 h	une pomme

Si, à l'une des heures nommées ci-dessus vous n'avez pas faim, vous pouvez vous abstenir de manger le fruit cité. On peut aussi manger du même fruit toute la journée ou alors faire la cure suivante:

Déjeuner: une pomme et une orange. Si on a faim, en avant-midi, on peut manger une pêche ou un autre fruit.

Dîner: une salade de crudités et une tranche de pain de blé entier avec margarine non hydrogénée.

Souper: une salade de crudités avec 50 ml (2 oz) de fromage cottage (2% de matière grasse).

Vers 20 h: une pomme.

N.B.: La pomme contient du brome qui favorise le sommeil.

Après une cure de fruits ou de légumes crus, on conseille de prendre trois repas par jour car sauter un repas entraîne une sensation de faim intense au repas suivant, ce qui nous porte à manger démesurément. Bien mastiquer ses aliments. Si vous n'avez pas l'habitude de manger des fruits, il se peut que vous ayez une diarrhée, il ne faut pas vous affoler. Ne pas oublier aussi l'exercice physique.

Chapitre 7

LES FIBRES

Il est très important de manger des aliments qui contiennent beaucoup de fibres afin de prévenir la constipation ou de l'enrayer.

Fruits contenant le plus de fibres
(3 1/2 oz = 100 g approximativement)

	POIDS	FIBRES
abricot	100 g	1,30
ananas	100 g	1,40
avocat	100 g	2,00
banane (1)	175 g	3,50
cantaloup (1/2)	385 g	2,90
datte	100 g	8,70
fraise	100 g	2,12
framboise	100 g	7,40
figue sèche	100 g	18,30
mûre (125 ml)	150 g	5,0
nectarine		
ou brugnon (1)	138 g	0,89
orange (1)	180 g	2,70
pêche	100 g	2,28
poire	100 g	2,44
pomme crue (1)	150 g	2,20
prune	100 g	2,00
raisin sec (1)	14 g	1,00
raisin frais (10)		0,80

Légumes contenant le plus de fibres
(3 1/2 oz = 100 g approximativement)

	POIDS	FIBRES
asperge	100 g	1,40
aubergine	100 g	2,30
betterave	100 g	2,50
brocoli	100 g	4,30
carotte crue (1)	50 g	0,50
carotte râpée	116 g	2,83
céleri cru (250 ml)	100 g	1,30
céleri cru (1 branche)	40 g	0,50
céleri cuit (250 ml)	133 g	2,90
champignon cru, tranché (250 ml)	100 g	2,50
chou pommé cru	95 g	2,20
chou de Bruxelles	100 g	2,80
chou-fleur cru (250 ml)	112 g	1,80
chou-fleur cuit (250 ml)	127 g	2,30
chou rouge cru (250 ml)	100 g	2,80
concombre	100 g	0,40
courgette	100 g	0,90
cresson	100 g	3,28
épinard	100 g	6,18
haricot vert	100 g	3,20
laitue en feuille (2 grandes feuilles)	50 g	0,80
maïs	83 g	4,70
oignon cru (1)	100 g	1,30
oignon cuit (250 ml)	222 g	2,90
navet	100 g	2,20

piment vert cru, poivron vert (1)	74 g	1,00
poireau	100 g	3,10
pois, petit pois	100 g	6,00
pomme de terre sucrée cuite	141 g	3,40
pomme de terre au four, pelée après cuisson (1)	130 g	3,20
pomme de terre bouillie et pelée avant cuisson (1)	122 g	1,20
radis cru (4)	40 g	0,50
scarole	100 g	1,60
tomate crue (1)	150 g	2,30

Légumineuses et noix contenant le plus de fibres
(3 1/2 oz = 100 g approximativement)

	POIDS	FIBRES
amande écalée (125 ml)	75 g	10,70
arachide grillée, salée (125 ml)	75 g	5,90
beurre d'arachide (15 ml)	15 ml	1,20
haricot sec cuit (250 ml)	260 g	14,40
lentille cuite, égouttée (250 ml)	156 g	5,80
noix de Grenoble (125 ml)	53 g	2,80
pois cassé sec, cuit (250 ml)	263 g	13,40

Produits céréaliers contenant le plus de fibres
(3 1/2 oz = 100 g approximativement)

	POIDS	FIBRES
All-Bran		
(250 ml)	34 g	9,30
blé filamenté		
(250 ml)	38 g	4,70
farine blanche	100 g	3,15
farine de blé entier	100 g	9,51
gruau d'avoine		
régulier (125 ml)	42 g	3,20
muesli	100 g	7,40
pain blanc		
(1 tranche)	30 g	0,80
pain de blé entier		
(1 tranche)	30 g	3,15
riz blanc cru	100 g	2,40
riz blanc cuit		
(250 ml)	179 g	1,40
riz brun cru	100 g	4,30
riz brun cuit	179 g	2,80
son de blé		
(15 ml)		2,20
son (en flocons)	31 g	3,10
Weetabix		
(1 biscuit)	16 g	2,10

Chapitre 8

QU'EST-CE QU'UNE CALORIE

La calorie est l'unité de chaleur et, comme la chaleur est une forme d'énergie, la calorie devient l'unité d'énergie. En un mot, la calorie est une mesure comme le kilo, la livre, le gramme, l'once, etc. Ainsi on détermine en calories la valeur énergétique des aliments. Il y a :

1- Les bonnes calories dites nutritives comme dans les fruits, les légumes, les céréales entières, les noix, les fromages, les œufs, la viande, le poisson, le tofu, etc.

2- Les calories vides c'est-à-dire celles qui proviennent d'aliments qui n'apportent pratiquement aucun bon nutriment à l'organisme. De plus, la consommation de ces aliments produit des déchets dont il faut se débarrasser. Ces calories sont contenues dans les sucreries, les tartes, les gâteaux, les biscuits, le thé, le café, les boissons gazeuses et alcoolisées, les croustilles, etc.

On calcule quatre calories par gramme de protéine ou d'hydrate de carbone et neuf calories par gramme de gras.

CITATIONS POUR RIRE, RÉFLÉCHIR ET AGIR

Notre civilisé suralimenté, véritable poubelle vivante, éreinté par les labeurs digestifs insensés, ses artères bouchées, tremble encore d'être sous-alimenté.

Nil Hahoutoff

•••

Manger est un plaisir de la vie, cependant pour que ce plaisir ne se change pas en cauchemar, nous devons observer certains principes. Il faut varier les aliments, exclure le sectarisme et le fanatisme des régimes, partager certains repas, perdre certaines mauvaises habitudes alimentaires et surtout ne pas négliger les **bonnes combinaisons alimentaires**.

•••

Un sage disait: «Il vaut mieux donner de la vie à ses années que des années à sa vie.»

•••

Toutes les maladies sont le résultat de l'intoxication de l'organisme par une alimentation fautive.

Marcel Chaput, N.D. *L'École de la santé.*

•••

Le médecin est l'homme que l'on paie pour conter des fariboles dans la chambre du malade jusqu'à ce que la nature l'ait guéri ou que le remède l'ait tué.

Molière

•••

Le bonheur consiste à ne souffrir ni du corps ni de l'esprit.

J.J. Rousseau

•••

Toute stratégie de traitement qui ne considère pas l'homme comme le résultat des stress et des charges imposés par le milieu, est vouée à l'échec.

Bethune

•••

Croyez-moi: il vaut mieux abandonner remèdes et médicantres, ils ne servent qu'à faire du mal.

Napoléon à Sainte-Hélène

•••

Tout homme qui sait lire a le pouvoir de se dépasser, de multiplier les moyens par lesquels il existe, de faire en sorte que sa vie soit pleine de signification et d'intérêts.

Aldous Huxley

•••

Ce n'est pas à la vie qu'il faut attacher de l'importance, mais à la qualité de la vie.

Socrate

•••

La nourriture ne produit tout son effet que dans sa relation physiologique avec l'eau, l'exercice, le repos, le sommeil et les autres éléments du système hygiéniste. L'efficacité des moyens hygiénistes ne se manifeste pas dans le traitement d'un organe seulement,mais elle se reconnaît aux bienfaits que ces moyens assurent à tout l'organisme. Ainsi, l'utilité de la nourriture vaut pour le corps entier et non pour un membre en particulier.

H.M. Shelton

•••

Il faut de vingt à trente heures aux résidus de l'alimentation pour parcourir le gros intestin qui ne mesure qu'environ cinq pieds.

Marcel Chaput, N.D.

Chapitre 9

SUGGESTIONS DE MENUS

Petit-déjeuner

Le matin, prenez un verre de jus de fruits frais, préparé à l'aide de l'extracteur à jus. Dix minutes après avoir bu votre jus, vous pouvez vous inspirer des choix suivants :

Choix 1	Une grosse pomme et une orange
Choix 2	Une grappe de raisin
Choix 3	Un cantaloup
Choix 4	Deux oranges et des prunes
Choix 5	Un ou un demi melon miel
Choix 6	Des pêches et des nectarines bien mûres
Choix 7	Des kiwis
Choix 8	Des pommes crues en purée
Choix 9	Des fruits en gelée
Choix 10	Un demi melon miel ou quelques morceaux de pastèque
Choix 11	Une banane bien mûre
Choix 12	Ananas
Choix 13	Poires et yogourt
Choix 14	Grappe de raisin. Vous pouvez manger d'autres fruits l'avant-midi si vous avez faim. Arrêtez une heure avant le repas du midi.

Le midi

Choix 1	Une grosse salade de crudités avec un couscous aux légumes.
Choix 2	Un choix de crudités: tranches de concombre, piment, céleri, etc. et un sandwich fait de pâté végétal (vendu dans tous les magasins d'aliments naturels).
Choix 3	Une salade avec une portion de riz entier et des légumes cuits à la vapeur, brocoli.
Choix 4	Un choix de crudités avec une pomme de terre au four et des légumes cuits à la vapeur (pois verts, haricots, navet, etc.).
Choix 5	Salade de crudités avec une soupe aux pois. En cas de faim, une tartine à la margarine.
Choix 6	Choix de crudités avec 2 crêpes ou galettes de sarrasin.
Choix 7	Crudités ou salade avec des aubergines à la provençale.
Choix 8	Crudités avec un bouilli de légumes.
Choix 9	Salade de crudités et un plat de millet aux légumes.
Choix 10	Salade de crudités avec des poivrons farcis aux haricots blancs.
Choix 11	Salade de crudités avec une soupe minestrone et une tranche de pain avec margarine.
Choix 12	Salade de crudités avec un potage de carotte et navet. Des légumes cuits à la vapeur : brocoli, haricots jaunes et une tranche de pain de seigle.
Choix 13	Salade de crudités avec des légumes en croûte.

Choix 14	Salade de crudités avec des macaronis ou des lentilles aux légumes.

Souper

Choix 1	Des crudités avec une tourte aux légumes et des tranches de betteraves.
Choix 2	Des crudités avec des œufs au plat cuits sans gras accompagnés de haricots verts, brocoli, etc.
Choix 3	Des crudités avec une aubergine gratinée et des légumes cuits de votre choix.
Choix 4	Salade ou des crudités avec une quiche au brocoli.
Choix 5	Salade ou crudités avec une macédoine de légumes chauds et une portion de fromage cottage.
Choix 6	Salade de crudités avec des champignons cuits à la vapeur et des légumes chauds si désiré.
Choix 7	Salade de crudités avec 10 amandes.
Choix 8	Salade de crudités avec une tarte aux poireaux.
Choix 9	Salade de crudités avec du tofu parfumé aux herbes, des betteraves et des haricots.
Choix 10	Salade de crudités avec une courge verte ou zucchini au fromage cottage et des légumes chauds de votre choix.
Choix 11	Salade de crudités avec pain de légumes.
Choix 12	Salade de crudités avec une ratatouille niçoise.
Choix 13	Salade de crudités avec des aubergines farcies au riz et légumes (haricots, pois verts, carottes, etc.).

Choix 14   Salade de crudités avec des spaghettis aux légumes. Servir avec des légumes chauds de votre choix.

Quelques mots avant de vous livrer mes recettes.

L'assaisonnement

1- L'Herbamare

L'Herbamare est un assaisonnement végétal de culture biologique. Il contient du sel de mer, du céleri, du poireau, du cresson, de l'oignon, de la ciboulette, de l'ail, du persil, de la livèche, du basilic, de la marjolaine, du romarin, du thym et du varech.

En ce qui touche l'assaisonnement dans les recettes, je donne des quantités uniquement à titre indicatif. Vous pouvez ajuster selon votre goût. En effet, c'est en goûtant que l'on voit si l'assaisonnement est à point.

2- De la gélatine ou de l'agar-agar

Pour les aspics, je suggère de toujours utiliser de la gélatine sans saveur, sans couleur et sans sucre. L'agar-agar est un mucilage fabriqué à partir d'une algue rouge vendu dans la plupart des magasins d'aliments naturels. Vous pouvez remplacer la gélatine par de l'agar-agar. La gélatine commerciale est faite à partir de source animale alors que l'agar-agar est de source végétale.

3- Plantaforce

Pour remplacer le Plantaforce, qui n'est plus disponible sur le marché, employer un bouillon de légumes qui se vend dans tous les magasins d'aliments naturels ou encore ajouter à votre recette 1/2 c. à soupe de légumes déshydratés.

4- Kelpamare

Le Kelpamare n'étant lui aussi plus disponible, vous pouvez employer une sauce soya-tamari en vente dans tous les magasins d'aliments naturels.

Conseil pratique

Les recettes ne se veulent pas parfaites. Dès que l'on accepte de faire cuire des aliments, on transgresse certaines lois, par exemple, si je fais cuire un pâté en croûte, je dois forcément faire chauffer le gras. Il en est de même de certains assaisonnements. Cependant il vaut mieux respecter les **bonnes combinaisons alimentaires** à 80% pendant toute sa vie que les suivre à 100% durant une semaine seulement.

Chapitre 10

RECETTES

Aspic aux tomates

500 ml de jus de tomate
15 ml de gélatine sans saveur ou d'agar-agar
125 ml d'eau froide
125 ml de céleri coupé en dés
3 ml d'Herbamare ou du sel de mer, au goût

Faire gonfler la gélatine dans l'eau froide environ 5 minutes. Faire chauffer le jus de tomate environ deux minutes. Ajouter la gélatine gonflée et tous les autres ingrédients. Bien mélanger. Verser dans des moules passés à l'eau froide. Laisser prendre pendant 6 heures. Pour démouler, passer le dessous du moule à l'eau chaude. Placer une feuille de laitue en dessous pour le service.

Aspic aux carottes servi dans de petits moules

7 ou 8 carottes moyennes râpées
500 ml d'eau chaude
15 ml de gélatine sans saveur ou d'agar-agar
125 ml d'eau froide
Herbamare et sarriette (au goût)

Faire gonfler la gélatine dans l'eau froide environ 5 minutes. Dans un chaudron, mettre l'eau, les carottes, l'assaisonnement. Bien mélanger, ajouter la gélatine gonflée et faire chauffer environ une minute. Verser dans de petits moules. Placer une feuille de laitue en dessous pour servir. Pour démouler, voir la recette précédente.

Aspic aux fruits en gelée

Méthode pour faire un aspic à l'orange

875 ml de jus d'orange
45 ml de gélatine sans saveur ou d'agar-agar
125 ml d'eau froide

Faire chauffer le jus d'orange, ajouter la gélatine gonflée dans l'eau froide. Bien mêler. Verser dans des moules passés à l'eau froide et y ajouter :

125 ml d'oranges coupées en dés
125 ml de pamplemousse coupé en dés
125 ml d'ananas coupé en dés
125 ml de fraises coupées en dés

Faire prendre pendant 4 ou 5 heures au réfrigérateur. Pour démouler, passer le dessous des moules à l'eau chaude.

Aubergines à la provençale

2 aubergines
6 tomates
1 oignon
1 gousse d'ail (facultatif)
1/2 litre de bouillon de légumes (ou d'un bouillon fait
à base de Plantaforce)
1/2 c. à thé (café) de romarin
1/2 c. à thé (café) de sarriette
1/2 c. à thé (café) de basilic
1/2 c. à thé (café) de fenouil
1 pincée de thym (au goût)

Peler et couper les aubergines en rondelles d'un centimètre. Les placer dans un plat allant au four. Dans une casserole contenant le bouillon, ajouter les tomates coupées, l'oignon et les herbes. Laisser cuire pendant 10 minutes. Passer la sauce au mélangeur puis verser sur les aubergines. Cuire au four entre 30 et 40 minutes à 180 °C. Si vous faites un bouillon de Plantaforce vous n'êtes pas obligé d'inclure autant de fines herbes.

Aubergines au gratin

2 aubergines
3 tomates tranchées
425 ml de jus de tomate
45 ml de farine de blé mou entier ou de farine de sarrasin
1 pincée de sel de mer ou d'Herbamare
1 oignon émincé
Fromage râpé

Faire cuire à la vapeur les aubergines coupées en tranches de 1 cm d'épaisseur (5 minutes environ). On peut peler l'aubergine, la pelure donne un goût plus âcre. Faire une sauce avec le jus de tomate, la farine, le sel et l'oignon. Dans une casserole allant au four, mettre l'aubergine, saupoudrer avec l'Herbamare, faire autant de rangs que l'on a d'aubergine. Recouvrir de sauce tomate et de fromage râpé et faire dorer au four à 190 °C.

Aubergines farcies au riz

4 grosses aubergines
750 ml de riz bien cuit
250 ml de macédoine cuite
250 ml de brocoli cuit coupé finement
30 ml d'huile de tournesol
1 pincée de sel de mer ou d'Herbamare (au goût)

Laver les aubergines, les placer dans une grande casserole d'eau bouillante. Couvrir et cuire à feu lent pendant 15 minutes. Les piquer pour vérifier leur cuisson. Après la cuisson, couper les aubergines en deux dans le sens de la longueur. Enlever délicatement la pulpe en ayant soin, toutefois, de laisser environ 0,5 cm d'épaisseur de la peau. Mélanger la macédoine, la pulpe, le riz, le brocoli, l'huile et l'assaisonnement. Farcir les aubergines et garnir de persil frais.

Avocat farci

1 avocat
1 carotte râpée
1/2 c. à thé d'huile de tournesol
1 pincée de persil et d'Herbamare

Couper l'avocat en deux dans le sens de la longueur. Dénoyauter et remplir la cavité avec le mélange de tous ces ingrédients. Saupoudrer de persil.

Bouilli de légumes

2 carottes coupées en morceaux
2 pommes de terre coupées en quatre
Quelques tranches de navet
250 ml de haricots verts
250 ml de pois verts
Quelques fleurs de brocoli
1 c. à thé de Plantaforce
1 oignon
Sel de mer ou Herbamare
1 feuille de laurier

Dans une casserole, mettre environ 2 cm d'eau et ajouter la feuille de laurier et les légumes (carottes, pommes de terre, navet et haricots). Cuire à feu moyen pendant 15 minutes. Ajouter le brocoli et les pois. Ajouter un peu d'eau si nécessaire. Ajouter ensuite l'assaisonnement. Au moment de servir dans l'assiette, mettre un peu d'huile sur les légumes.

Concombre à la menthe

1 ou 2 concombres coupés en rondelles
3 c. à soupe d'huile de tournesol
1 c. à soupe de menthe fraîche coupée finement

Laver le concombre sans l'éplucher (vous devez vous souvenir que l'enzyme digestive du concombre se trouve dans la pelure). Dans un bol, mélanger l'huile et la menthe. Disposer joliment les rondelles de concombre dans le plat de service. Verser le mélange d'huile et de menthe. Réfrigérer pendant une bonne heure. Au moment de servir, garnir de quelques feuilles de menthe fraîche. Vous pouvez varier à l'infini vos plats de concombre. Vous pouvez remplacer la menthe par du persil frais, du fenouil ou de l'origan.

Courgette verte au fromage cottage

1 courgette verte
1/2 c. à thé d'Herbamare
1/2 c. à thé d'origan
1/2 c. à thé de sarriette
Fromage cottage

Laver et couper la courgette en rondelles de 0,5 cm et faire cuire à la vapeur de 5 à 6 minutes (ou jusqu'à point). Déposer dans une assiette chaude. Assaisonner chaque rondelle. Recouvrir de fromage cottage. Servir avec du brocoli, des haricots, des betteraves ou d'autres légumes. Voilà un repas vite fait!

Courgettes au gratin

1 ou 2 courgettes
250 ml de haricots verts cuits
125 ml de brocoli cuit
250 ml de sauce tomate
Fromage maigre râpé ou en tranches
Herbamare au goût

Laver et couper les courgettes en rondelles. Faire cuire
à la vapeur de 5 à 6 minutes. Dans un plat pour le four,
mettre courgettes, haricots verts, brocoli, saupoudrer
d'Herbamare. Recouvrir de sauce tomate et de fromage. Faire dorer au four à 175 °C.

Couscous aux légumes

250 ml de semoule
1 petit oignon
250 ml de macédoine cuite
1 c. à soupe d'huile de tournesol
Herbamare ou sel de mer (au goût)
750 ml d'eau
Un peu de Kelpamare

Plonger l'oignon et la semoule de blé dans l'eau bouillante. Faire cuire 1 minute environ. Éteindre le feu.
Ajouter l'Herbamare et la macédoine de légumes, le sel
de mer et laisser reposer 5 minutes environ ou jusqu'à
ce que l'eau soit absorbée. Dans l'assiette, ajouter
quelques gouttes de Kelpamare.

Galettes de sarrasin

200 à 500 ml de farine de sarrasin
1/2 c. à thé de sel de mer ou d'Herbamare (au goût)
Eau

Mélanger le tout pour obtenir une pâte lisse. Je ne donne pas de quantité d'eau car tout dépend de l'épaisseur de la galette désirée. Sur une plaque de fonte ou dans une poêle antiadhésive verser la quantité de pâte désirée. Faire cuire des deux côtés. À noter, on ne met aucun gras sur la plaque. Manger avec de la margarine, du beurre d'arachide, du pâté végétal. Cet aliment est très énergétique.

Haricots blancs

500 g de haricots blancs
1 oignon
1 carotte
1 branche de céleri
2 clous de girofle
1 feuille de laurier
1/4 c. à thé (ou 1 branche) de thym

Bien laver les haricots. Les faire tremper toute une nuit. Les faire cuire dans leur eau de trempage. Ajouter tous les ingrédients. Cuire à couvert à feu lent, sur la cuisinière (2 à 3 heures). Vérifier de temps à autre et ajouter un peu d'eau chaude pour couvrir les haricots. Quand les haricots sont cuits, ajouter du sel de mer ou de l'Herbamare.

Haricots blancs au four

500 g de haricots blancs
1 oignon
2 c. à soupe de mélasse
1 c. à thé de Plantaforce
1 c. à thé d'Herbamare

Mettre les haricots bien lavés dans un bol et laisser tremper dans l'eau toute la nuit. Par la suite, faire bouillir dans l'eau de trempage pendant 1/2 heure. Écumer. Verser les haricots dans une jarre et ajouter l'Herbamare, l'oignon, la mélasse et bien mélanger. Faire cuire au four à 180 °C pendant environ 3 heures. Vérifier de temps en temps et ajouter de l'eau chaude au besoin pour couvrir les haricots. Vers la fin de la cuisson, ajouter le Plantaforce, dilué dans le jus des haricots et bien mélanger.

(À noter que la mélasse est facultative car la mélasse et les haricots ne font pas nécessairement bon ménage. Cependant, si vous ne mangez pas de dessert, vous n'aurez aucune difficulté à digérer.)

Légumes gratinés

Brocoli en morceaux
Courgettes en dés
Carottes en dés
Pois verts
Haricots verts
Sauce béchamel

PRÉPARATION DE LA BÉCHAMEL
1 c. à soupe de margarine
4 c. à soupe de farine de blé mou entier
325 ml de lait
Herbamare ou sel de mer

Passer cette préparation au mélangeur. Faire cuire pendant quelques minutes. Faire cuire dans l'eau: carottes, pois, haricots, de 5 à 6 minutes. Ajouter le brocoli et la courgette et un peu de Plantaforce (1/2 c. à thé). Lorsque cuits, mettre les légumes dans un plat allant au four et verser la sauce. Saupoudrer de fromage râpé et faire dorer.

Note: L'eau de cuisson des légumes peut être ajoutée à la béchamel.

Légumes en croûte

250 ml de carottes coupées en dés
125 ml de navet coupé en dés
250 ml de pommes de terre coupées en dés
125 ml de pois verts
250 ml de haricots verts ou jaunes
1/2 c. à thé de Plantaforce
Une pincée de sel de mer
De l'eau, environ 500 ml

PRÉPARATION DE LA SAUCE BÉCHAMEL
375 ml de lait
125 ml de farine de blé entier
Un peu de persil

Passer les 3 ingrédients de la béchamel au mélangeur.
Ajouter 15 ml de margarine et cuire à feu lent en
brassant.

Faire cuire tous les ingrédients de la première liste dans
l'eau, à feu lent environ 20 minutes. Bien mélanger.
Lorsqu'ils sont cuits, ajouter la sauce béchamel. Verser
dans une croûte de tarte et recouvrir d'une abaisse. Faire
cuire au four à 215 °C pendant 10 minutes. Baisser le feu
à 180 °C pendant environ 30 minutes. La croûte du
dessus peut être humectée avec un peu de lait pour lui
donner une couleur plus dorée.

Lentilles

500 ml de lentilles
1 oignon
1 carotte
1 branche de céleri
2 clous de girofle
1 c. à thé d'origan
1 c. à thé de Plantaforce

Laver les lentilles. Dans un grand plat, mettre à tremper les lentilles pendant 4 heures. Égoutter les lentilles, les mettre dans une casserole avec l'oignon, la carotte, le céleri, le clou de girofle et l'origan. Couvrir le tout d'eau et cuire pendant 40 minutes. À la fin de la cuisson, on peut ajouter un peu de sel de mer (ou de l'Herbamare, au goût).

Millet aux légumes

250 ml de millet
750 ml d'eau
125 ml de poivrons verts coupés en dés
125 ml de carottes coupées en dés
1/2 c. à thé de Plantaforce
1 pincée de sel de mer ou d'Herbamare
1 petit oignon

Dans une marmite, amener l'eau à ébullition. Jetez-y le millet, l'oignon, le sel. Faire cuire à feu moyen pendant 30 minutes. Pendant ce temps, couper les légumes. Fermer le feu et ajouter le reste des ingrédients. Laisser reposer au moins 10 minutes pour que l'eau soit absorbée. Dans l'assiette, vous pouvez ajouter un peu d'huile de tournesol.

Pain de légumes

250 ml de carottes râpées
125 ml de navet râpé
250 ml de céleri coupé en dés
125 ml de poivrons verts coupés en dés
250 ml de riz cuit
125 ml de bouillon de légumes
1 pincée de sel de mer ou d'Herbamare

Bien mélanger tous les ingrédients. Mettre dans un moule à pain beurré et faire cuire au four à 180 °C pendant 30 minutes. Démouler sur une feuille de laitue.

Pâté au brocoli

2 croûtes de tarte de 23 cm
500 ml de brocoli finement coupé et cuit
250 ml de carottes et navet râpés
250 ml de poivrons finement coupés et cuits
125 ml de bouillon végétal
Un peu d'origan
1 pincée d'Herbamare ou de sel de mer

Mélanger les ingrédients. Verser sur la croûte et recouvrir d'une abaisse, faire cuire au four à 225 °C pendant 10 minutes. Baisser ensuite à 180 °C, jusqu'à ce que la croûte soit dorée. Servir avec une bonne salade de crudités.

Poivrons verts farcis aux haricots blancs

Des poivrons (1 par personne)
Préparation aux haricots blancs cuits (voir précédentes recettes)

Laver et vider les poivrons. Les faire blanchir 5 minutes dans l'eau bouillante. Les farcir avec les haricots blancs, servir avec une sauce aux tomates.

Potage aux carottes et au navet

6 carottes moyennes
125 ml de navet ou 2/3 de carottes et 1/3 de navet
1/2 c. à thé de Plantaforce
Persil haché
1 pincée de sel de mer ou d'Herbamare

Faire cuire les légumes dans l'eau jusqu'à ce qu'ils soient tendres. Après cuisson mettre le tout au mélangeur pour en faire une purée. Ajouter de l'eau si la consistance est trop épaisse et ajuster l'assaisonnement. Remettre sur le feu environ 2 minutes. Délicieux!

Quiche au brocoli

1 abaisse de tarte
1 jaune d'œuf
3 œufs entiers organiques
250 ml de lait à 2%
125 ml de poivrons verts coupés en dés
250 ml de brocoli finement haché
1 peu d'origan
1 pincée d'Herbamare

Fouetter les œufs et le lait. Ajouter l'assaisonnement, le poivron et le brocoli. Bien mélanger. Déposer dans une croûte à tarte. Faire cuire 10 minutes au four à 200 °C. Réduire à 180 °C et continuer la cuisson pendant 20 minutes. Laisser reposer 10 minutes avant de servir.

Ratatouille niçoise

3 tomates
2 poivrons verts
2 oignons
4 gousses d'ail
1 aubergine pelée
1 courgette
Huile d'olive ou de tournesol
125 ml de consommé fait à base de Plantaforce
170 g de gruyère râpé
Thym et laurier
1 pincée d'Herbamare

Couper tous les légumes finement. Mettre à cuire dans une casserole pendant 20 minutes avec le consommé. Assaisonner au goût. Après la cuisson, mettre dans un

plat, saupoudrer de fromage et mettre à dorer au four.
Dans l'assiette, arroser avec un peu d'huile.

Riz aux légumes

250 ml de riz brun lavé
750 ml d'eau
1 oignon
Sel de mer ou Herbamare
Quelques gouttes de Kelpamare
250 ml de macédoine de légumes

Amener l'eau à ébullition, ajouter l'oignon et le riz. Faire
cuire à feu moyen pendant 30 minutes et éteindre le feu.
Ajouter la macédoine de légumes cuits et laisser reposer
10 minutes. L'eau devrait être évaporée. Dans l'assiette,
ajouter quelques gouttes de Kelpamare.

Salade santé

1 laitue
1 poivron vert coupé en dés
Du céleri coupé en dés
Du concombre coupé en dés
Des tomates coupées en dés
Des carottes râpées
Du chou râpé

Mettre la quantité de légumes voulue. Y ajouter de l'huile
au choix et un peu d'Herbamare. Bien mélanger. On peut
aussi ajouter un peu de levure alimentaire en flocons.
Cela donne un bon goût. Vous pouvez varier vos salades
à l'infini. Pour les personnes qui ne doivent pas saler,
vous pouvez ajouter des fines herbes telles que persil,

fenouil, menthe, sarriette, basilic. Dans les magasins d'aliments naturels il y a des assaisonnements pauvres en sel.

Soupe aux pois et aux légumes

500 ml de pois entiers
1 500 à 1 750 ml d'eau
1 oignon coupé finement
125 de haricots verts
1 c. à thé d'origan
1 carotte finement coupée
1 pincée de sel de mer ou d'Herbamare

Bien laver les pois. Les faire tremper toute la nuit et les faire cuire dans l'eau de trempage. Ajouter l'origan, l'oignon, les carottes, les haricots. Amener à ébullition. Cuire à feu lent pendant 2 à 3 heures. À la fin de la cuisson ajouter le sel de mer.

Soupe Minestrone

125 ml de nouilles aux légumes
250 ml de riz brun
1,5 litre d'eau bouillante
1 petit oignon
125 ml de sauce tomate
250 ml de céleri coupé en dés
250 ml de carottes coupées en dés
125 ml de pois verts
1/2 c. à thé de Plantaforce (facultatif)
1 pincée de sel de mer ou d'Herbamare

Dans l'eau bouillante, ajouter le riz et cuire à feu lent pendant 25 minutes. Après quoi, ajouter tous les autres ingrédients et laisser cuire de 10 à 15 minutes. Si trop épais, ajouter un peu d'eau.

Trempette au fromage cottage et aux légumes

500 g de fromage cottage maigre
3 échalotes
2 carottes râpées
4 radis
1/2 poivron vert coupé en lanières
Un peu de persil
1 pincée de sel de mer ou d'Herbamare

Passer le tout au mélangeur jusqu'à l'obtention d'une consistance homogène. Servir avec des bâtonnets de céleri, des fleurs de brocoli, des tranches de concombre, etc.

Tourte aux légumes

Nouilles cuites
250 ml de bouillon fait à base de Plantaforce
Légumes variés coupés en dés: brocoli, céleri, poivron
Des carottes râpées

Dans un plat allant au four, mettre un rang de nouilles cuites. Verser le bouillon fait à base de Plantaforce. Bien mélanger. On peut réduire la quantité de bouillon pour un résultat moins juteux. Puis alterner un rang de brocoli, avec le céleri, le poivron. Assaisonner avec de l'Herbamare. Recouvrir le tout de 250 ml de carottes râpées. Cuire au four à 180 °C pendant 30 minutes. On peut arroser de temps en temps avec le bouillon.

On peut aussi préparer une tourte aux légumes sans nouilles, les remplacer par une courgette coupée en rondelles de 0,5 cm et recouvrir le tout avec du fromage râpé ou en tranches, du genre mozzarella. Faire cuire à 180 °C.

Tarte aux poireaux

1 croûte de tarte
60 ml de margarine
2 poireaux moyens tranchés
60 ml de farine de blé entier à pâtisserie
200 ml de lait
1/2 c. à thé d'Herbamare (ou au goût)
Un peu de sarriette

Laver les poireaux, les couper en rondelles de 0,5 cm d'épaisseur environ et déposer sur la croûte, faire chauffer un peu le lait et la margarine pour la faire fondre. Ensuite passer au mélangeur le lait, la margarine et la farine, la sarriette et l'Herbamare. Bien brasser, verser sur les poireaux et faire cuire 10 minutes au four à 200 °C puis 25 minutes à 160 °C.

***

À remarquer, je vous ai donné seulement des recettes végétariennes. Cependant, celles et ceux qui veulent manger de la viande, du poisson, etc., libre à vous. Aux salades de crudités, ajoutez la viande de votre choix, mais ne pas mettre d'huile dans votre salade. L'huile nuit à la digestion des protéines. Souvenez-vous qu'il faut manger beaucoup de légumes verts crus avec les protéines car la chlorophylle des plantes vertes empêche le dépôt de gras dans les veines et les artères. Avant de faire votre épicerie, composez vos menus de la semaine, de cette façon vous n'aurez pas à vous casser la tête à chaque repas pour savoir quoi préparer. Afficher votre liste sur le réfrigérateur.

Il ne vous reste plus, mes chers amis, pour atteindre le but fixé, qu'à mettre en pratique ce que vous avez lu dans les pages précédentes. Manger selon les **bonnes combinaisons alimentaires**, manger beaucoup de fruits frais et de légumes crus, verts de préférence. Ne pas exagérer avec les féculents, bien mastiquer, omettre les desserts, boire beaucoup d'eau entre les repas, fêter entre Noël et le jour de l'An et non entre le jour de l'An et Noël. Être persévérant, faire de l'exercice physique: marche rapide, vélo extérieur et intérieur, natation, aquaforme, tennis, etc.

Choisissez un exercice et faites-le tous les jours. Sans exercice physique, on peut maigrir et améliorer sa santé avec les **bonnes combinaisons alimentaires**, mais si l'on ne veut pas, un jour, ne plus pouvoir monter une marche d'escalier, ne plus pouvoir ramasser un objet sur le plancher, il nous faut bouger. Comme le dit le dicton: «Grouille ou rouille.» Ce n'est pas du jour au lendemain que l'on devient obèse, que l'on devient malade, les toxines s'accumulent de jour en jour, la même chose se produit à force de ne pas bouger. Un beau jour, on se rend compte que l'on ne peut plus lever le pied.

Pour ceux et celles qui aimeraient avoir un programme de mise en forme, je vous suggère de visiter le site internet **www.athletec.ca**. Vous y trouverez un programme à votre mesure.

Bonne santé et soyez heureux.

TÉMOIGNAGES

Comme je le disais précédemment dans ce livre, les bonnes combinaisons alimentaires peuvent non seulement vous aider à maigrir, mais elles peuvent aussi vous aider à recouvrer ou à améliorer votre santé. En voici un témoignage:

«C'était en 1972. J'avais trente-sept ans. Je souffrais depuis longtemps d'asthme, de bronchite et d'emphysème. J'étais alors curé aux Îles-de-la-Madeleine. Sur les conseils du médecin, je partis vivre dans un pays chaud, en Haïti. Ma santé ne s'améliora pas davantage. Je me faisais traiter selon les méthodes conventionelles de la médecine et la maladie s'aggravait. On m'avait même dit que je n'avais plus que quelques mois à vivre et qu'on ne pouvait plus rien pour moi. On me traitait alors à la cortisone et je séjournais sous la tente à oxygène à tout moment. Je correspondais toujours avec mon ami Gilles Bordeleau, naturopathe lavallois, qui me donnait des conseils et m'envoyait des suppléments alimentaires. Mais se faire soigner à distance n'est pas l'idéal. Sur son invitation, je suis venu chez lui pour y faire une cure qui dura environ quarante jours. Je pesais à peine cent livres. Je mesure six pieds. C'est vous dire que je n'en menais pas large. Mais grâce aux bons soins prodigués par Gilles et Lucile Bordeleau, grâce à une cure de jus de fruits et de légumes et à des suppléments vitaminiques, j'ai recouvré la santé. Depuis 1974, je remplis mon ministère au Mexique. Je m'occupe d'un orphelinat de trente enfants et je suis en pleine forme. Gros merci à Gilles Bordeleau qui m'a fait connaître les méthodes naturelles de santé. Depuis, j'ai étudié la naturopathie et je suis devenu naturopathe.»

Maurice Roy, prêtre Voluntas Dei.
Emplame, Mexico

Note : Au milieu des années 80, Maurice Roy a fondé un autre orphelinat à Pascuale, en Équateur. Il est décédé en mai 1998. Il aura vécu 28 ans après avoir été condamné par la médecine traditionnelle.

AUTRE TÉMOIGNAGE

«Ayant essayé toutes les méthodes (ou presque) pour maigrir, poudres, diètes de protéines, diète de 500 calories par jour, etc., et me retrouvant au même point, et parfois pire, j'ai opté pour les bonnes combinaisons alimentaires. En plus d'avoir perdu du poids et de m'être stabilisé, je me sens plus en forme.»

Voici le genre de témoignages que je reçois très souvent. Dans mes conférences, les gens me demandent: «Combien de temps devra-t-on suivre la méthode des bonnes combinaisons alimentaires?» Je réponds toujours à cela: «Aussi longtemps que vous voudrez rester en santé et garder votre poids santé.»

TABLE DES MATIÈRES

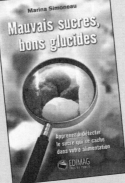

Des recettes selon les bonnes combinaisons alimentaires

112 pages • Format: 11 x 18 cm

Découvrez 75 recettes délicieuses pour rester en santé longtemps.

10,95$

LUCILE MARTIN-BORDELEAU

220 RECETTES SELON LES BONNES
COMBINAISONS ALIMENTAIRES

DES RECETTES VÉGÉTARIENNES FACILES

15,95$

Votre santé dans votre assiette

112 pages
Format: 15 x 23 cm

Un guide véritablement efficace pour avoir une alimentation saine et équilibrée.

15,95$

220 recettes

184 pages • Format: 14 x 21,5 cm
reliure spirale

Notre mode de vie nous empêche souvent de bien nous alimenter. C'est pour cela que Lucile Martin-Bordeleau vous propose, dans cet ouvrage, des recettes simples, délicieuses et végétariennes.

• COUPON DE COMMANDE •

J'aimerais recevoir le(s) livre(s) suivant(s)

☐ **220 recettes selon les bonnes combinaisons alimentaires** ....15,95 $
☐ **Des recettes selon les bonnes combinaisons alimentaires** ...10,95 $
☐ **Votre santé dans votre assiette** ....15,95 $

3 à 4 semaines pour la livraison.
COD NE SONT PLUS ACCEPTÉS.
Faites chèque ou mandat à
ÉDIMAG INC.
C.P. 325 succ. Rosemont
Montréal (Québec)
CANADA H1X 3B8

Sous-total ....

Poste et expédition......... 5,00 $

TPS 6% ....

Total...

Nom :..

Adresse : ....

Ville : ....

Code postal :................................Tél. : ....

OU FAITES PORTER
À VOTRE CARTE DE CRÉDIT ☐ MasterCard ☐ VISA ☐ AMERICAN EXPRESS

N° de carte : ....Expir. : ....

Signature...